Birgit Vanderbeke

Der Sommer der Wildschweine

Roman

Piper München Berlin Zürich

Mehr über unsere Autoren und Bücher:
www.piper.de

Von Birgit Vanderbeke liegen im Piper Verlag vor:
Das lässt sich ändern
Das Muschelessen
Die Frau mit dem Hund
Alberta empfängt einen Liebhaber
Der Sommer der Wildschweine
Die sonderbare Karriere der Frau Choi
Ich sehe was, was du nicht siehst

MIX
Papier aus verantwortungsvollen Quellen
FSC
www.fsc.org
FSC® C083411

Ungekürzte Taschenbuchausgabe
Juli 2015

Umschlaggestaltung: Kornelia Rumberg
Umschlagabbildung: Herbert Kehrer/Getty Images (Kastanien); CGTextures (Hintergrund)
Satz: Satz für Satz. Barbara Reischmann, Wangen im Allgäu
Gesetzt aus der Adobe Garamond
Druck und Bindung: CPI books GmbH, Leck
Printed in Germany ISBN 978-3-492-30559-4

Es gibt meine Erinnerungen, und es gibt die Erinnerungen der anderen, an die ich mich erinnere, weil sie mir erzählt worden sind. Wenn ich sterbe, verschwinden sie für immer. Das finde ich sehr traurig. Ich würde gerne mehr über die Menschen wissen, die vor mir gegangen sind.

Elizabeth Zimmermann

Es war der Sommer der Wildschweine.
Und es war der Sommer, in dem alles anders wurde. Wenn man genau überlegt, was in diesem Sommer passiert ist: eigentlich nicht viel. Jedenfalls uns nicht.

Aber manchmal muss gar nicht viel passieren, und dennoch steht hinterher kein Stein mehr auf dem anderen, und tatsächlich stand hinterher kein Stein mehr auf dem anderen, und vielleicht war das gut so.

Aber es ist gefährlich.

Im Laufe des Sommers hat der Boden unter unseren Füßen angefangen, sich zu bewegen, es gab erst leise und dann immer stärkere tektonische Reibungen, Zerrungen, Deformationen, irgendwelche lithosphärischen Vorgänge, kein Erdbeben natürlich, kein Vulkanausbruch, nur eben dass der Boden, auf dem du stehst, keine sehr stabile Grundlage für deine Schritte mehr ist, wir haben alle vier angefangen zu schwanken, obwohl Johnny und Anouk anfangs gar nicht dabei waren, und dazu kamen auch noch die Wildschweine.

Solche tektonischen Vorgänge gibt es in jedem Leben, in Ihrem sicherlich auch. In unserem Leben haben wir uns gewissermaßen daran gewöhnt, dass von Zeit zu Zeit die Erde bebt, und dann überlegst du: Erdbeben oder Weltuntergang. Seit wir denken können, schwankt uns immer mal wieder der Boden unter den Füßen, dass wir denken, das war's jetzt, Weltuntergang, weil demnächst die Miete fällig ist oder der Winter kommt. Mit dem Winter ist das Heizen dran, und sonderbarerweise bebt die Erde nur selten im Sommer, jedenfalls unter unseren Füßen, sondern immer ab Oktober, November, wenn das Heizen demnächst dran ist, es hat mit der Weltwirtschaft zu tun, die gern nach den Sommerferien und noch lieber nach den Wahlen zusammenkracht, und gewählt wird meistens im Herbst, jedenfalls in den Ländern, die entscheiden, wann die Weltwirtschaft zusammenkracht. Bei den anderen bebt die Erde im Grunde rund ums Jahr, also können sie auch wählen, wann sie wollen, das hat mit der Weltwirtschaft nichts zu tun, aber nach unserer Erfahrung jedenfalls bricht die Weltwirtschaft kurz vor dem Winter zusammen, auch wenn sich so ein Zusammenbruch oft schon im Sommer ankündigt; allerdings sind im Sommer immer alle, die so einen Zusammenbruch logistisch organisieren müssen, in Urlaub; es ist eine Menge Logistik nötig, damit örtliche Zusammenbrüche nicht nur einzelne Länder und Volkswirtschaften erwischen, sondern die Wirkung möglichst weltweit durchschlägt, und natürlich müssen die Typen, die mit dem Zusammenbruch, Abteilung globale Logistik, also flächendeckend, befasst sind, im Sommer genauso in Urlaub fahren wie alle anderen Menschen auch, wie die Parlamentarier und Premierminister, die Kanzler und Studienräte und wer sonst noch so im Sommer in Urlaub fährt, um sich anschließend frisch erholt und frohgemut dem Zusammenbruch logistisch widmen zu können, dass er ordnungsgemäß zustande kommt, bevor im Winter das Heizen dran ist und wir uns fragen, wie wir die nächste Miete zahlen sollen.

Aber diesmal war es keine Weltwirtschaftskrise mit den üblichen tektonischen Verwerfungen, es war etwas anderes. Schon wegen der Wildschweine.

Alles fing harmlos an. Es war unser erster Urlaub seit ewig.

Seit der Bretagne, sagte Milan.

Seit Tunesien, sagte ich.

Tunesien zählt nicht, sagte Milan, und in gewisser Weise hatte er recht, weil wir last minute nach Tunesien gefahren waren, als wir alle nach der Lungenentzündung gerade so halbwegs wieder auf den Beinen standen und uns mühsam daran gewöhnen mussten, noch am Leben zu sein, es war ein ekelhafter März, nass und ganz ohne Sonne, Johnny war gerade mal drei und die Kleine noch nicht auf der Welt.

Charter zählt nicht, Charter ist das, wo die Leute

schon beim Abflug Bermudashorts anhaben; im Flugzeug fotografieren sie mit ihren Handys die Wolken, saufen sich einen an, und bei der Landung wird geklatscht.

Also seit der Bretagne. Da war Johnny auch noch nicht auf der Welt, da waren wir noch zu zweit.

Weißt du noch, die Kuhwiese mit den Schafen und Ziegen, sagte Milan.

Und ob, sagte ich.

VW-Käfer, defekte Bremsen, irgendwo in der Pampa und trotzdem nicht weit von Paris. Wir schlittern von der Autobahn runter, es ist schon dunkel, wir sind die ganze Strecke von Frankfurt am Stück gefahren; Milan tritt die Bremse durch, und nichts tut sich, ich sage, ausrollen lassen, einfach nur langsam ausrollen lassen, und der VW rollt in eine Wiese aus, in eine stockrabenschwarz dunkle Wiese.

Man braucht eigentlich gar kein Zelt, um draußen zu schlafen, sagte Milan, jedenfalls wenn's nicht regnet.

Es regnete nicht. Es war warm, und über uns war ein samtschwarzer Himmel mit Sternen.

Braucht man nicht, sagte ich, obwohl ich noch nie unter den Sternen geschlafen hatte und nicht sicher war, ob man es tun könnte.

A la belle étoile, sagte Milan, als wir in unseren Schlafsäcken lagen. Milan konnte Französisch, weil seine Großmutter Französin war und kein Wort Deutsch konnte.

Es war ganz still.

Rotwein hatten wir keinen, den hatten wir unterwegs noch kaufen wollen, aber nicht an der Tankstelle, sondern wo Richtiges, in einem Weingut womöglich, und dann war kein Weingut gekommen, natürlich nicht, weil es an der Autobahn keine Weingüter gibt, und wir waren durchgefahren, bis die Bremsen hin waren.

Am nächsten Morgen schien die Sonne, als wir aufwachten. Es war neun Uhr. Um uns herum standen erst zwei und dann, nachdem wir die Augen vor Schreck ziemlich schnell aufgekriegt und die Lage erfasst und durchgezählt hatten, siebenundzwanzig Kühe. Die Schafe und Ziegen haben wir gar nicht erst gezählt.

Ich glaube, wir sollten dann mal, sagte Milan und sprang aus unserem Schlafsack, der eigentlich aus zwei alten Armeeschlafsäcken vom Flohmarkt bestand, die wir mit den Reißverschlüssen zu einem Doppelschlafsack verbunden hatten, in dem wir machen konnten, was wir wollten.

Wir sollten dann mal zügig, sagte Milan. Bevor noch der Bauer auftaucht.

Und während im nächsten Ort ein Garagiste begeistert die Bremse an unserem VW-Käfer reparierte und es nicht fassen konnte, dass eine echte antike Coccinelle bei ihm gestrandet war, aßen wir, wie es sich für Frankreichurlauber gehört, Croissants und tranken den schlechtesten Milchkaffee unseres Lebens.

H-Milch, sagte Milan nach seinem ersten Schluck, um mich zu warnen, aber es war schon zu spät.

A la belle étoile haben wir in diesem Sommer noch öfter geschlafen, weil Gregor und Maja unausstehlich waren, sich die ganze Zeit nur langweilten und das Ferienhaus in der Bretagne mit ihrer Unausstehlichkeit und Langeweile angefüllt war, weil in dem Haus und in der Bretagne und wahrscheinlich überhaupt in ganz Frankreich nichts los war. Sobald ihnen klar geworden war, dass nichts los war und auch nichts los sein würde, wurden sie vor Langeweile unausstehlich.

Es ist kaum zu glauben, hat Milan abends oft gesagt, wie schlechte Laune so ein Haus füllen kann, es gibt keine Ecke, in die sie nicht reinkriecht.

Sogar in unser Schlafzimmerchen kroch die schlechte Laune von Gregor und Maja, wie können Menschen nur auf Dauer so schlecht gelaunt sein, und schließlich haben wir meistens gegen Mitternacht unseren Doppelschlafsack genommen und sind auf den Kartoffelacker neben dem Haus gegangen.

Eigentlich haben wir in dem Sommer meistens à la belle étoile geschlafen, allerdings mit Rotwein, den wir im Fünfliterkanister gekauft hatten, Cabernet Sauvignon stand auf der Zapfsäule in der Cave Coopérative.

Blödsinn, hatte Milan gesagt, Cabernet Sauvignon. Hast du jemals von bretonischem Wein gehört?

Jedenfalls war es Rotwein, jedenfalls haben wir à la belle étoile geschlafen und in unserem Doppelschlafsack gemacht, was wir wollten, und dann wurde Johnny geboren, und mit Ausnahme der Chartertour nach Tunesien ein paar Jahre später haben wir nie wieder Urlaub gemacht.

Der Ziegenbauer im Westerwald zählt nicht, obwohl es da immer sehr schön war: ein Wochenende hier, ein paar Brückentage dort, Fronleichnam und einmal zu Ostern.

Seit der Bretagne also.

Diesmal fuhren wir nicht in die Bretagne, sondern ins Languedoc, weil Jeremiah von dort kommt. Jeremiah ist einer von den Technikern, die Milan engagiert, wenn er für Sunset zu tun hat, und irgendwie hat er eigentlich meistens mit Sunset zu tun. Jeremiah kommt aus Fontarèche, das ist ein kleines Provinzkaff da unten, und er wird sicher auch wieder dorthin ziehen, wenn er erst einmal in Rente ist, sagt er, aber solange steht das Haus leer. Es ist das Haus seiner Familie, und weder seine Schwester noch er können im Augenblick viel damit anfangen: Ferien über Ostern und Weihnachten, im Sommer kümmert sich eine Immobilienagentur um die Vermietung, die Schwester lebt in Paris, geschieden, nicht direkt in Paris natürlich, kein Mensch lebt direkt in Paris, das ist ganz und gar unbezahlbar, also Issy, Ivry, Aubervilliers, was weiß ich, und da wird sie auch bleiben, weil es im Languedoc keine Arbeit gibt. Im Languedoc wird im März gewählt, in ganz Frankreich im Frühling.

Den Unterhalt für das Haus schaffen sie mit der Vermietung, das kommt Pi mal Daumen auf null raus. Man glaubt nicht, was so ein leeres Haus kostet. Zweitwohnsitzsteuer, Strom, Alarmanlage, um die Wartung kümmert sich die Agentur, die dafür saftig kassiert: die Oleanderhecke gießen, Rasen mähen, Oliven schneiden, den Pool versorgen, den die Eltern vor dreißig Jahren haben bauen lassen, weil sie hofften, die Kinder blieben, aber die Kinder sind natürlich nicht geblieben, kein Mensch bleibt wegen eines gechlorten Wasserlochs in einem Kaff, in dem es keine Arbeit gibt, und jetzt kümmert die Agentur sich darum, ums Chlor, dass die Filter gereinigt und alle paar Tage die Skimmer geleert werden, im September wird alles auf Winterbetrieb gestellt, und dann fallen auch schon die Blätter; ab November muss gelegentlich die Heizung angestellt werden, selbst bei leeren Häusern ist im Winter das Heizen fällig, solche leeren Häuser werden leicht feucht, das kostet; die Putzkolonne, wenn am Samstag die einen Gäste morgens abreisen, und am Nachmittag kommen die nächsten.

Wenn du Glück hast, kommen am Nachmittag schon die nächsten, sagt Jeremiah. Wenn nicht, steht das Haus wochenweise sogar im Sommer leer.

Am Vorabend unserer Reise hatte Milan noch ein Telefonat mit Dennis.

Dennis ist der Chef von Sunset, und bei Dennis ist es so: Erst kümmert er sich um nichts, dann fällt ihm plötzlich das Techno-Event in Harvestehude ein, von dem er Milan noch kein Wort verraten hat, und dann muss alles ganz schnell gehen – Stühle organisieren, möglichst wieder von diesem tschechischen Verleih, der nur drei Euro nimmt, Party- und Eventbedarf, die Bühne mit Standsicherheitsnachweis wie beim letzten Mal, aber lieber nicht die mit dem Giebeldach, obwohl die größer ist, aber sie sieht so popelig aus und ist auch noch teurer als die Tonnenbühne; nein, für die Contac 175 reicht das Budget nicht aus; Ton, Beleuchtung, LED oder Laser, Kamera, Technik, Slide-Show, Screen-Filling, mengenweise Wasserflaschen, es ist überall heiß bei Techno-Events, ausreichend Behindertenparkplätze, das ganze Programm.

Oder die Knott-Immobilien Consulting will mit sechshundert Gästen ihr zehnjähriges Jubiläum begehen, spätestens übermorgen; aber nicht mit dem obligaten Buffet, das allen schon zum Halse raushängt, Tomaten, Mozzarella, Basilikum und so weiter, Hühnchenbrust in allen Variationen, sondern stilgerecht; schlicht, aber stilvoll. Austern mal nicht gleich, ach, Ihnen fällt dazu schon was ein.

Ein Incentive mit Portweinverkostung steht am Wochenende an, eine drittklassige Hollywood-Hochzeit, Kitsch as Kitsch can, aber sie zahlen, ohne hinzugucken. Und wenn Milan sagt, mal ehrlich, Dennis, das weißt du doch nicht erst seit gestern, schiebt Dennis alles auf den Kunden.

Du kennst doch die alte Knott, diesen Drachen. Hast du doch mal kennengelernt, kannst du dich nicht erinnern? Knott junior seine Schwiegermutter, sagt er und versucht dann noch, Milan die Ausgaben für die Techniker zu drücken.

Es war ein mittleres Wunder, dass Milan überhaupt freibekommen hatte, er selbst vermutete, es hinge mit Dennis' eigenen Reiseplänen und dem Jakobsweg zusammen, den er in diesem Sommer gehen wollte, aber kurz vor der Reise rief er natürlich an.

Ich hörte Milan telefonieren.

No way, sagte er. Oh nein, absolut nicht. Da kannst du ganz sicher sein.

Dann kam er wieder rüber und packte seine Sachen weiter ein.

Und, sagte ich.

Wenn du mich fragst, sagte Milan, und ich sagte, tu ich.

Dann ist das nichts als reiner Sadismus, sagte Milan.

Oder einfach nur Blödheit, sagte ich.

Milan schwieg.

Nach einer Pause sagte ich vorsichtig: Kann dich den Job kosten.

Und wenn schon, sagte Milan.

Dennis ist wirklich ein Trottel, sagte ich, und Milan sagte, das hatten wir schon.

Milan fährt seit zwanzig Jahren zweigleisig, und immer wenn ihn etwas den Job gekostet hat, wenn die

Stadt ihre Aufträge nicht bezahlt hat, wenn er wo rausgeflogen ist, hatte er noch etwas anderes in petto, Messebau, die Lautsprecherboxen, inzwischen läuft sein Blog, und er verdient mit »Sound and Fury« gelegentlich richtig Geld. Ich habe es genauso gemacht, weil es schwachsinnig gewesen wäre, nicht mehrgleisig zu fahren, wo alle paar Jahre ein Erdbeben, eine Krise kommt und Existenzen zunichtemacht, zumal Existenzen mit Kindern im Gepäck, und unsere beiden Kinder waren jetzt zwar groß und standen auf eigenen Füßen, aber genau das mit den Füßen wurde in diesem Sommer ein echtes Problem, weil darunter – zunächst unter unseren Füßen – diese tektonischen Bewegungen anfingen, diese lithosphärischen Vorgänge, die im Languedoc entstanden und sich bis nach New York erstreckten, bis unter die Füße von Anouk, die sonderbarerweise am Vorabend unserer Reise unruhig war, und beinah hätte es sogar Krach gegeben, während Johnny aus Manchester anrief, um uns kurz zu sagen, dass Manchester die scheußlichste Stadt der Welt sei, aber das wüssten wir ja schon, und im Übrigen fahrt vorsichtig.

Johnny sitzt in Manchester nur in der Warteschleife, weil Deborah dort sitzt und vermutlich noch nicht weiß, dass sie auch in der Warteschleife sitzt, weil Johnny den Teufel tut, seiner Frau rundheraus ins Gesicht zu sagen, dass er demnächst sehen wird, wie er schleunigst aus Manchester rauskommt, egal wohin, zur Not nach China oder Korea.

Es ist komisch mit unseren Kindern: Als Johnny dreizehn war, schaffte er es zum ersten Mal per Computersimulation, einen der zweidimensionalen Saurier aus einem seiner Saurierbücher zum Leben zu erwecken, 3-D. Er war von klein auf besessen davon, alles Zweidimensionale aus dem platten Zustand räumlich zu kriegen, und wegen seines dreidimensionalen Ticks war klar, dass es ihn in die IT-Branche verschlagen würde. Wohin sonst. Additive Manufacturing heißt das heute.

Zum Glück hat es ihn in die IT-Branche verschlagen, sagt Milan, wenn ich mich beschwere, dass ich kein Wort von dem verstehe, womit Johnny sein Geld verdient, weil ich nur die Sprache studiert habe, die in Romanen oder Gedichten oder überhaupt in Büchern steht, und natürlich die, mit der ich beim Bäcker meine Brötchen einkaufen kann, solange es den Bäcker noch gibt, während Johnny Vertices extrudiert und auf U- oder V-Value-Positionen herumpixelt, Root, Head, Body, Tip or Tail, und jedenfalls überall auf der Welt eine globale Programmiersprache hat, mit der er wahrscheinlich sogar in China und Korea seine Brötchen kaufen kann, auch wenn's dort gar keinen Bäcker gibt. In China und Korea gab's überhaupt noch nie Bäcker, jedenfalls bis vor Kurzem. Hier gab's eigentlich immer Bäcker, aber seit auch in China gebacken wird, gibt's hier kaum noch welche.

Zum Glück hat es Johnny in die IT-Anwendung verschlagen, zum Glück für ihn und für uns auch, denn ohne Johnny und seine Programmiersprache wären wir aus der letzten Krise wohl kaum mit einem blauen Auge davongekommen. Es war Johnny, der die geniale Idee mit der 3-D-Pullover-Software hatte, und es war Anouk, die den Namen dafür fand: Einer für alle.

Die Titelidee war geklaut, aber es war klar, dass Anouk gar nicht merkte, dass sie geklaut war.

Anouk hatte Elizabeth Zimmermann entdeckt.

Wundern Sie sich nicht, dass Sie Elizabeth Zimmermann nicht kennen. Sie können sie eigentlich gar nicht kennen, auch wenn sie eine der größten Ikonen aller Zeiten ist, aber da kommen Sie natürlich nicht drauf, solange sie nicht übersetzt ist.

Anouk las Elizabeth Zimmermann im Original. Sie las Tag und Nacht, und wenn sie nicht las, probierte sie aus, was sie gerade gelernt hatte. Elizabeth Zimmermann ist die Größte. Nicht nur für Anouk. Sie ist eine echte Tricoteuse, aber natürlich kennt sie kein Mensch, weil kein Mensch sie übersetzt, weil kein Mensch mehr strickt und kein Mensch mehr über die Revolution nachdenkt, also auch nicht über die Tricoteusen. Anouk sprach ehrfürchtig nur noch von EZ und lernte, während sie EZ las, nebenbei Englisch. Auch das, ohne es zu merken, so wie Generationen von Kindern Englisch gelernt haben, während ihre Lehrer in Urlaub waren, einfach weil Generationen von Kindern Harry Potter lesen wollten, bevor es ihn auf Deutsch oder Finnisch oder Chinesisch gab und man sich wunderte, warum es ihn dann später überhaupt auf Deutsch und Finnisch und Chinesisch gab, weil kein Verlag ihn eigentlich haben und übersetzen wollte. Genau wie Elizabeth Zimmermann.

Anouk strickt, seit Milans Firma kurz vor der Jahrtausendwende pleitegegangen war, also praktisch, seit sie drei oder vier war und wir auf Milans Kredit saßen und nicht genau wussten, wie wir das Geld an die Bank zurückzahlen und weitermachen sollten. Es hatte damals eines von den mittleren Erdbeben gegeben, die eine mathematische Menge A Menschen die Existenz kosten und – wie das bei Erdbeben immer so ist – eine andere mathematische Menge B Menschen stinkreich machen, und die Gesetze dieser Erdbeben gehen immer gleich: Die Menge A ist ein exponentielles Vielfaches der Menge B.

Wir gehörten, genau wie Sie vermutlich auch, zur ersten Kategorie, auch wenn es uns nicht gleich die Existenz gekostet hat, aber es war knapp, weil ab irgendwann nicht nur die Kommunen, sondern alle anfingen zu sparen, und natürlich sparten sie überall. Milan hat Industriedesign gemacht, und in gewisser Weise macht er das immer noch, nur leider nicht mehr für seinen eigenen Laden.

Sicherheitshalber hörten wir jedenfalls auf, ins Kino,

zum Friseur, in Bioläden oder essen zu gehen und Dinge zu kaufen, die nicht unmittelbar nötig waren. Als es dann nicht mehr nur sicherheitshalber gewesen wäre, hatten wir immerhin schon sicherheitshalber damit aufgehört und merkten den Übergang beinah gar nicht. Ich fing an, unsere Pullover selber zu stricken. Die Handschuhe, Schals, Pullover und einiges andere auch. Mizzi zum Beispiel. Mizzi war und ist bis heute Anouks Lieblingspuppe. Für Mizzi strickte ich dann noch Stück für Stück einen Tierpark aus Schafen, Eseln, Schweinchen und allem möglichen anderen Getier, zu dem ich die Anleitungen in einem alten Naturbastelbuch aus den frühen Achtzigern gefunden hatte. Simple Anleitungen, meistens kraus rechts, weil ich eigentlich anderes zu tun hatte, als zu stricken, schließlich saßen wir auf einem Kredit und mussten sehen, wie es weiterging, nachdem die öffentliche Hand amputiert worden war, jedenfalls so weit amputiert, dass sie ihre Rechnungen an kleine Firmen wie Milans nicht mal mehr halbwegs pünktlich bezahlte.

Außerdem hatte ich nie mehr gestrickt, seit meine Großmutter es mir beigebracht hatte. Als ich ein paar Pullover gestrickt hatte, merkte ich: Stricken ist gut gegen die Angst. Von da an machte ich weiter, und mit der Zeit wurde es natürlich etwas mehr als nur kraus rechts. Irgendwann war es sogar ganz gut.

Bei Anouk schlug es ein, bevor sie noch in den Kindergarten ging, wo alle Kinder ihre Barbiepuppen mitbrachten und sich über Mizzi lustig machten, aber weil Mizzi damals schon älter war als der Kindergarten und die Barbiepuppen, machte Anouk sich nichts daraus, sondern strickte einfach weiter.

Offenbar hat sie es in den Genen, sagte Milan.

Mit Puppendeckchen für Mizzi und Topflappen für uns fing es an, dann kamen die Lochmuster, Zöpfe, Noppen, all die Muster, die sie sich selbst ausdachte, bevor sie entdeckte, dass es sie schon gab, Ajour, Entrelac, Jacquard, sie dachte sich asymmetrische Formen aus, verkürzte Reihen, sie lernte Tricks, von denen wir nie herausfanden, wo sie sie herhatte, weil weit und breit kein Mensch mehr strickte, nachdem alles Selbstgemachte in Verruf geraten war und jeder alles nur noch kaufte, seit aus Bürgern Verbraucher geworden waren, die alles kaufen, blitzschnell verbrauchen und wegschmeißen mussten, weil es mit dem Kaufen zugleich kaputtbar wurde. Kaputtbar war ein großartiges Wort. Alles, was so ein Verbraucher kaufte, war schon beim Kaufen kaputtbar und also der herrlichste Müll, und den Barbiepuppen fielen wie dem öffentlichen Sektor massenhaft Hände, Arme und Beine ab.

Nur Mizzi blieb heil. Die hatte ich für Anouk gemacht, als sie noch nicht einmal lesen konnte. Inzwischen trägt Mizzi nur noch Anouks Designerklamotten, und was Anouk entwirft, wird an Mizzi ausprobiert.

Sie muss es in den Genen haben, sagte Milan regelmäßig.

Von mir hat sie es jedenfalls nicht, sagte ich.

Mit sechs hatte sie längst ihre erste Modekollektion für Mizzi entworfen, weil die Kinder im Kindergarten ihren Barbies auch immer viele verschiedene Kleider anzogen; später baute sie ihren Zoo eigenhändig aus und strickte Giraffen, Krokodile und Elefanten und natürlich auch ein paar Saurier aus Johnnys Büchern.

In dimensional, sagte sie stolz und schenkte Johnny zum Geburtstag einen dimensionalen Sauropoden, der seitdem auf seinem Schreibtisch steht.

Als sie größer wurde, ging sie in die städtische Bibliothek, bis die wegen allgemeiner Sparsamkeit geschlossen wurde, und holte sich mit ihrem Kinderausweis alte »Constanze«-Hefte, die dort noch vereinzelt herumgammelten und heute Vintage heißen und unbezahlbar geworden sind; später fand sie auf Flohmärkten Bücher: »Tausend Ideen mit Pfiff«, Bertelsmann Gütersloh. »Das aktuelle Jahrbuch für alle Maschenfans« von 1985, Orbis Verlag München. »Auf die richtige Masche kommt es an« mit Strickmusterschule, Lingen Verlag. »Modische Maschen« mit Schnittmusterbogen aus dem Verlag für die Frau. Bei Gelegenheit der »Modischen Maschen« mit Schnittmusterbogen lernte sie, dass Leipzig in der DDR gelegen hatte. Komisch, wie schnell das alles in den Staub und ins Vergessen geraten ist, und vielleicht wäre es dort auch geblieben.

Aber dann kam das Netz. Aus Verbrauchern wurden User.

Dann kam Ravelry. Ravelry ist die beste Community, die es im Internet gibt. Sagt Anouk. Eine Offenbarung.

Und damit kam System in ihre Obsession, ein global-anarchisches System natürlich, das hätte man auch wissen können, ohne Elizabeth Zimmermann gelesen zu haben, aber ich hatte.

Mit dreizehn war ihr und ihrer Umgebung klar, dass es sie in die Maschenkunst verschlagen würde, sie grub sich in die amerikanischen Klassiker, wünschte sich Barbara G. Walkers vier Schatzbücher zum Geburtstag, sie studierte die Tudor-Rosen von Alice Starmore, die ein paar Jahre lang nur unterm Ladentisch zu kriegen waren, und natürlich fand sie Elizabeth Zimmermann. Die stand damals schon bei mir im Regal.

Bei Elizabeth Zimmermann geht es immer ums Ganze. Um Witz und ums Leben, um Geduld und um Mathematik. Um Liebe.

Manchmal kommt es mir vor, als wäre sie meine richtige Oma, sagte Anouk, deren richtige Oma väterlicherseits längst tot ist, und die andere ist Welten von Witz, Leben, Geduld und Mathematik entfernt. Von Liebe sowieso.

Ganz sicher merkte Anouk nicht, dass der Name geklaut war, den sie auf der Stelle aus dem Ärmel zog, als Johnny uns alle nach der letzten Krise mit seiner genialen 3-D-Pullover-Stricksoftware aus der Tinte holte: »Einer für alle«.

Johnny sagte, guter Name. Denkt man gleich an die Musketiere.

Ich dachte an Elizabeth Zimmermann und ihr Buch: »Knit one knit all«, aber ich sagte nichts.

Es war schon damals ein phantastischer Titel und eine phantastische Idee: alles nur kraus rechts. Ihr Verlag hatte ihn abgelehnt. Den Titel und die Idee. Als sie tot war, hatte der Verlag sich von ihrer Tochter dazu breitschlagen lassen. Phantastisches Buch. Phantastischer Titel. Zu Lebzeiten nicht zu machen. Schicksal.

Es war natürlich nicht die erste Pullover-Software der Welt, die Johnny uns da entwarf.

Man muss das Rad ja nicht unbedingt neu erfinden, sagte er, während er daran herumbastelte, aber auch wenn er das Rad nicht neu erfand: Es wurde eine ungemein brauchbare Software, mit der wir fürs Erste gerettet waren.

»Einer für alle« kam gut an, weil jeder das Programm benutzen kann, der so in etwa zwei Stricknadeln halten kann.

Sobald nämlich jemand zwei Stricknadeln halten und das Programm herunterladen und befolgen kann, wird ein Pullover daraus, in welcher Größe auch immer, und selbst in Größe 54 sehen die Leute gut darin aus.

Anouk machte die Entwürfe, V-Ausschnitt, U-Boot, Polo-, Umlege- oder Schalkragen, Raglan von oben,

Raglan von unten, nahtlos einmal quer, einmal längs überschnitten oder mit eingesetzten Ärmeln, sie tobte sich aus. Milan und ich übertrugen die Entwürfe.

Als er sie bekam, ging Johnny die Wände hoch. Versteht ihr denn nicht, ich brauche Sektionen, sagte er, ich brauche keine gut gemeinten Gesamtmodelle, wir spielen hier nicht Dior oder Lagerfeld. Ich brauche alles in Sektionen, sonst kann ich das nicht rendern.

Anouk konnte Mathematik.

Milan und ich zerschnipselten Anouks mathematische Entwürfe à la Dior oder Lagerfeld in Sektionen, Johnny raufte sich immer seltener die Haare, wir verstanden kein bisschen, wie er das Render Mesh des Infiltrators irgendwie ins Control Rig kriegte, und nach ein paar Monaten hatten wir das Programm.

Kundenbezogen, sagte Johnny zufrieden. Benutzerfreundlich.

Kurz darauf heiratete er und ging mit Deborah nach Manchester in die Warteschleife, bastelte hier und da an Tutorials herum und wurde gelegentlich von irgendeinem Spieleentwickler oder, wenn es gut lief, für einen Blockbuster engagiert, denen er Landschaften herstellte. Manchmal auch Geschöpfe oder Innenräume.

Kurz darauf hatte »Einer für alle« uns so viel Geld eingespielt, dass wir zum ersten Mal seit Langem Ferien machen konnten. Milan und ich. Ganz ohne unsere Kinder und trotzdem nicht wie früher.

Als die Kinder groß waren, dachte ich manchmal, vielleicht könnte man sich ja wieder herausbekommen nach dieser Zeit, die manchmal lang gewesen war, aber, alles in allem, auch wieder nicht so lang gewesen zu sein schien. Vielleicht wäre es anschließend wie früher, als wir in der Bretagne waren und à la belle étoile geschlafen hatten. Könnte ja schließlich sein, dachte ich, so lang war es auch wieder nicht gewesen, das Leben mit den Kindern.

Aber das war ein Irrtum. Man kriegt sich nicht wieder heraus. Weil sich einfach alles verändert hat. Wir auch. Wegen der Unumkehrbarkeit der Zeit. Das weiß ich seit Gregors Magisterarbeit.

Nur Gregors schlechte Laune ist unverändert, aber damit haben wir nicht mehr sehr viel zu tun, weil wir uns noch manchmal daran erinnern, Gregor aber seit vielen Jahren nicht mehr sehen. Seit der Magisterarbeit im Übrigen. Seit »Thomas Pynchon und die Entropie«. Also seit zwanzig Jahren.

Am Abend vor der Reise machten wir einen Crémant auf, der noch von Johnnys Hochzeit übrig war, auf den ersten Urlaub seit ewig, und bevor wir ins Bett gingen, sagte Milan, lass uns kurz noch mal in New York anrufen.

Meine Agentur war knapp ein halbes Jahr alt. Ich hatte sie »text und textil« genannt, und wesentlich hatte diese Agentur damit zu tun, dass Anouk dringend anfangen wollte, ihre Entwürfe ins Netz zu stellen, einen Blog aufzumachen, der Welt mitzuteilen, was sie tat, YouTube-Filme hochzuladen, eigentlich alles, was man mit achtzehn so tut.

Für alles ist sie mit achtzehn vielleicht ein bisschen jung, hatten wir gesagt und »text und textil« ins Leben gerufen.

Johnny hatte seiner kleinen Schwester und also stellvertretend mir die Homepage gemacht. Wenn es nach ihm gegangen wäre, hätte die Seite ausgesehen, als wären wir eine Porsche-Vertretung. Porsche mitten in digitalem Environment.

Webpräsenz, sagte er. Ohne Design geht gar nichts.

Milan und ich konnten ihn so weit bremsen, dass das Ganze nur lustig aussah. Und natürlich hatte ich ein paar Leuten davon erzählt, weil Johnny das Wort Networking ins Spiel gebracht und behauptet hatte, es sei ein Zauberwort. Nicht dass ich noch an Zauberwörter geglaubt hätte nach all den Jahren, aber Johnny ist noch keine dreißig. Er darf noch.

Ein paar Kunden hatte ich aus meiner Promi-Texter-Zeit mitgenommen, weil da immer noch ein bisschen Geld floss, auch wenn die Zeit ein für alle Mal vorbei ist, wo sich Leute dafür interessierten, ob die Sängerin X wirklich nicht operiert ist, sondern allein makrobiotisch und per Mineralwasser ihre Figur hält oder die Politikergattin ihren Mann mit Hausmannskost ins Grab treibt, aber man mag es gar nicht glauben: Die

Eitelkeit ist selbst bei den Hampelmännern aus Film und Fernsehen noch nicht vorbei, denen man inzwischen ins Gesicht sagen kann, dass sie Hampelmänner sind und zu der mathematischen Menge A gehören, die bei der nächsten Krise abgeräumt wird, sie glauben immer noch, die Welt nähme Anteil daran, dass sie sich allmorgendlich die Stöpsel ihrer Headsets gefährlich in die Nähe ihres Kleinhirns schieben, sich am Mainufer stundenlang die Zunge aus dem Hals hecheln, keinen Massenmarathon auslassen und den Rest ihres pathologischen Waschbrettbauchs auch im Vorruhestand noch für Geflügelwurst in die Kamera halten, wo die Geflügelwurstfirma sich längst schon nach einem jüngeren Waschbrettbauch umgesehen hat und nicht vorhat, den Werbevertrag zu verlängern.

Eitelkeit ist etwas Großartiges.

Das Wesen von Dienstleistungen ist, dass man seinen Kunden nicht sagt, wofür man sie hält oder wie man ihre Aufträge findet, hat Johnny mir eingebläut, als ich Anneli Schachtschneider die Sache mit der Beckenbodengymnastik ausreden wollte.

Anneli Schachtschneider hatte es eigentlich gar nicht nötig, ein Buch über Beckenbodengymnastik zu schreiben. Sie war lange Zeit ordentlich in der Moderedaktion der Frauenzeitschrift untergekommen, bei der ich die Glosse hatte. Für Anneli, deren Mann in irgendeinem Vorstand saß und zur Menge B gehörte, die aus jeder Krise millionärer rauskommt, als sie reingegangen ist, war das ein netter Zeitvertreib, für mich war die Glosse praktisch eine Lebensversicherung: Egal, was dir eingefallen ist, du hattest einen gemütlichen Vorlauf und immer dazwischen zwei Wochen Zeit. Das ging gut bis zu dem Tag, als die gesamte Frauenredaktion ins reife Alter verschoben wurde, weil die Leserinnen des Blattes ihrerseits im reifen Alter angekommen waren und Nachwuchs nicht in Sicht war, jedenfalls nicht für bedrucktes Papier, das nur etwas fürs reife Alter ist, und im reifen Alter wiederum gab es nur Anti-Aging und keine Glossen mehr, die wohl eher ins mittlere Alter gehören, weil es danach aufhört, komisch zu sein; also war ich als Erste draußen, aber wie das bei solchen Verschiebungen ist: Nach und nach wurde die gesamte Redaktion gefeuert, wobei feuern natürlich freisetzen heißt, und frei, wie sie war, fing Anneli Schachtschneider an, über die Beckenbodengymnastik nachzudenken und mich zu fragen, ob ich ihr das Projekt texten würde.

Ich hatte längst aufgehört, mich darüber zu wundern, was die Leute sich so alles schreiben lassen, seit das, was man ihnen schreibt, nicht mehr eine Biografie oder ein Ghostwriter-Krimi ist, eine Rede, ein Vortrag, eine Doktor- oder Gregors Magisterarbeit, sondern irgendwann wurde alles getextet, und sehr bald darauf hieß es Content. Content ist was anderes als Gregors Magisterarbeit über die Entropie bei Thomas Pynchon oder eine Jubiläumsfestschrift der Initiative Schwimmen in Kefelbach: Bei Content geht es um moderne

Streetstylebrillen, hochwertige Tageslinsen auch bei Hornhautverkrümmung, Botox oder Hyaluronsäure, es geht um so wesentliche Aufträge wie: »Habe meinen Mercedes-Schlüssel verloren, was tun« (»bitte kurz und knapp und strikt an die Fakten halten, 1800 Anschläge, der Nutzer soll finden, was er sucht«, da kann er lange suchen, mit 1800 Anschlägen kriegt er seinen Schlüssel nicht wieder), es geht um rutschfeste Beläge, Putzlappen günstig, So baut man einen Hühnerstall, die robuste Indoor-Hängematte. Hintergrundsysteme fürs kleine Fotostudio. Betreuungsgeld 2014.

Es geht um jedes Wort: suchmaschinenoptimiert, in zehn Sprachen, gut geklaut ist besser als schlecht aus den Fingern gesaugt. Die Software für Wörter kommt demnächst auf den Markt.

Ich hätte also ohne Weiteres für Anneli Schachtschneider, solange die Software noch nicht auf dem Markt war, auch noch die Beckenbodengymnastik schreiben können, zumal sie mehr zahlen wollte als die Textbörse mit ihren läppischen zwei Euro vierundzwanzig für zweitausend Zeichen Schwarzkümmelöl gegen Haarausfall. Aber ich mochte Anneli, und ich stellte mir vor, dass sie sich möglicherweise irgendwann später einmal schämen würde für die Beckenbodengymnastik, deswegen hatte ich innerlich schon tief Luft geholt und war entschlossen, sie davon abzubringen, aber Johnny bläute mir das Wesen von Dienstleistungen ein, ich biss mir auf die Lippen, und wenn Annelis Mann nicht gestorben wäre, hätte ich vermutlich auch diesen Job übernommen.

Aber Annelis Mann starb, Herzinfarkt, und danach war Anneli wirklich sehr frei, sie räumte sein Konto, zog aus Frankfurt weg nach New York, hieß fortan nicht mehr Anneli Schachtschneider, sondern nannte sich und ihr Label Adèle S*, hatte von Tuten und Blasen keine Ahnung, so wenig wie Dennis, weil es darum längst nicht mehr geht, Hauptsache, das Marketing stimmt, und fragte mich, ob ich ihr nicht das Technical Editing machen könnte.

Klar konnte ich.

Nicht dass ich zu der Zeit genau gewusst hätte, was Technical Editing ist.

Anleitungen schreiben, sagte Anouk.

Anouk war in den letzten Jahren ihrer Schulzeit eine gefragte Teststrickerin bei Ravelry und arbeitete schwarz für eine finnische und eine italienische Designerin.

Manche Leute können pfeifen, aber keine Noten, sagte sie. Die brauchen so was. Andere können stricken oder häkeln oder solarbetriebene Toaster entwickeln oder was weiß ich, aber wenn sie's aufzuschreiben versuchen, wird daraus nichts.

Analphabeten, sagte ich.

Adèle S* wurde meine erste Kundin. Es stellte sich heraus, dass sie ihre Zeit in der Moderedaktion damit zugebracht hatte, die Werbetexte, die ihr die verschiedenen Firmen zugeschickt hatten, zu redaktionellen Beiträgen zu erklären und sich ansonsten zu merken, wer angesagt war und wer nicht.

Am Abend vor der Reise machten wir also einen Crémant auf und riefen Anouk an.

Es war keine gute Idee gewesen, Anouk nach dem Abitur zu Anneli Schachtschneider nach New York gehen zu lassen. Praktikum.

Praktikum hieß, dass Anouk für irgendwelche japanischen oder kanadischen Markengarnfirmen eilige Lace-Anleitungen schrieb, die im Februar schon hätten fertig sein müssen, sowie die Muster für die Winterkollektion, weil Anneli Schachtschneider mit diesen japanischen Firmen Verträge hatte und Geschäfte machte.

Frustierend, sagte Anouk. Manche Analphabeten haben nicht mal von der Materie eine Ahnung, die sie verticken.

Perlen vor die Säue, sagte Milan, der ziemlich genau wusste, wovon er sprach.

Dazu noch für ein Taschengeld.

Wirklich keine gute Idee. Aber was ist schon eine gute Idee. Oder so herum: Gute Ideen gäbe es viele, und Anouk hat eine ganze Menge davon, aber es gibt Zeiten, da hat die Welt keine Lust auf gute Ideen, und die Jahre zwischen den Krisen sind meistens eine Zeit, in der die Welt keine Lust auf gute Ideen hat, weil jeder versucht, sich irgendwie an der Börse und auf den Beinen zu halten, und sobald jemand kommt und eine gute Idee hat, wissen alle, dass so eine Idee nicht klappen kann, weil sie nur eine Idee ist und keine Aktiengesellschaft mit PayPal-Dollars oder überhaupt gleich fiktivem Geld; und natürlich war es keine gute Idee, dass Anouk ein Praktikum bei Anneli Schachtschneider machte, die auf einem Sack davon saß, mit japanischen und kanadischen Markengarnfirmen Geschäfte machte, von denen sie nichts verstand, und Ramie für eine Art Paketschnur hielt.

Sagte Anouk. Immerhin bekam ich ihre Lace-Anleitungen und eine Menge japanisches Markengarn, weil Anneli Schachtschneider es bekam und zu den anderen Garnen packte, mit denen sie auch nichts anfangen konnte.

Abschreibungsgarn, sagte Anouk. Da kannst du Ideen haben, so viel du willst, wenn du für wen arbeitest, der Ramie für eine Art Paketschnur hält, kannst du dir gleich die Kugel geben, sagte sie aufgebracht, wenn Milan sie zu trösten versuchte, und irgendwann sagte Milan, ich weiß genau, wovon du sprichst. Ich hab da gerade so einen Lieblingskunden. Sven. Sven hat auch von Tuten und Blasen keine Ahnung.

Anouk sagte, aber Sven ist immerhin nur dein Kunde und nicht dein Chef, und Milan sagte, aber Dennis ist mein Chef. Ob Kunde oder Chef: Das läuft im Grunde aufs selbe raus. Schließlich einigten sie sich darauf, dass sie ein Leben ohne Kunden und Chefs führen wollten, und sie versprachen sich jedes Mal feierlich, darüber nachzudenken, wie so was ginge.

In der letzten Zeit vor dem Abitur war Anouk wegen der Sache mit den Pinguinen unverhofft vom Mauerblümchen zum Star der gesamten Schule avanciert. Nicht dass sie sich viel daraus gemacht hätte, aber es tat ihr gut, nicht die ganze Zeit nur mit dem Rücken an der Wand zu stehen, um nicht umzukippen. Aber die Sache mit den Pinguinen half ihr natürlich bei Anneli Schachtschneider nicht sehr viel weiter, obwohl es gerade diese Sache gewesen war, weshalb sie das Praktikum überhaupt bekommen hatte, nachdem die Martin-Luther-Schule wegen der Pinguine in die Hessenschau gekommen war, und die Pinguine waren nun einmal Anouks Idee gewesen, weil Anouk einen Aufruf zur Rettung der verklebten Pinguine auf Facebook gelesen und später mitsamt der Strickanleitung für Pinguinpullover verteilt und das Thema im Unterricht für eine Doppelstunde durchgesetzt hatte.

Das Projekt sah vor, die Pinguine in der Südsee und die gesamte Umwelt zu retten.

Nach ihrem Vortrag hatte sie angeboten, jedem, der sich an der Aktion beteiligen wollte, Strickunterricht zu geben. Wer wolle, könne sich also in die Liste einschreiben, die sie am Anschlagbrett ausgehängt habe, oder per Facebook auf Anouks Seite, wo auch alle Einzelheiten dokumentiert waren.

Bei Tierschutz wollen sich immer alle beteiligen, und so wurde Anouk also zum Star des Kurses und später der ganzen Schule, und niemand nahm ihr mehr übel, dass sie gut in Mathe war.

Die brechen sich bald die Finger, hatte sie erzählt, als sie ihre erste Strickstunde abgehalten hatte, und ihre Stimme hatte dabei vor Entzücken gequietscht, weil ihre Strickkurse enormen Zulauf hatten, und mit Beharrlichkeit und Geduld brachte sie tatsächlich achtundvierzig Schüler aus der Mittel- und Oberstufe dazu, aus achtfädiger Wolle und mit Vier-Millimeter-Nadeln Pinguinpullover zu verfertigen. Das Ganze hatte mit Ölverpestung zu tun und damit, dass Pinguine krepieren, wenn sie sich putzen und das Öl dabei fressen. Dagegen helfen natürlich Pullover, und außerdem halten sie schön warm, weil das Gefieder durch die Ölsauerei verpappt ist und nicht mehr wärmt.

Das leuchtete nicht nur Schülern ein, und der Naturpark Melbourne konnte sich vor Pinguinpullovern nicht retten, die ihm aus der ganzen Welt wegen der fehlenden Wärme zugeschickt wurden, aber vor allem kam das Ganze in die Hessenschau, und achtundvierzig dieser zigtausend Strickwerke gingen eben auf Anouk zurück, die in dem Beitrag namentlich erwähnt und kurz interviewt wurde; der Lehrer lobte ihr Engagement und forderte alle anderen auf, sich an unserer Tochter ein Beispiel zu nehmen.

Zu diesem Teil der Hessenschau gab Anouk einen Kommentar ab: Sülze, sagte sie, aber Anneli Schachtschneider hatte die Hessenschau auch gesehen und gehört, dass Anouk sich gegen die Kälte in der Welt und am Südpol engagierte, und so ging Anouk nach New York und tat per Facebook jedem, der es wissen wollte, kund, dass sie bei Gelegenheit einen Fair-Isle-Workshop auf Orkney mache und bei der Gelegenheit einen Abstecher nach Island unternehmen werde und einen nach Estland, wo es die schönsten Lace-Tücher der Welt gibt. So lag unserer Tochter zuerst die Hessenschau, dann New York und sowieso die ganze Welt zu Füßen, bis sie anfing zu schwanken, ohne dass in Island ein einziger Vulkan ausgebrochen wäre. Ohne dass sie überhaupt nach Island oder Schottland oder nach Estland oder sonst wohin gekommen wäre.

Also komm, dann rufen wir kurz noch mal an, sagte ich. Milan schenkte uns noch einen Schluck Crémant nach und rief in New York an. In Frankfurt war es elf Uhr abends. Morgen würden wir beide nach Frankreich fahren. In New York war es früher Abend, ein früher Sommerabend.

Wie immer ging sie nicht ran, sondern würde in drei Minuten zurückrufen. Keine Ahnung, warum sie es tun, aber offenbar halten alle Menschen unter dreißig es für uncool, ans Telefon zu gehen, wenn es klingelt.

Wir warteten keine Minute.

Milan sagte, na mein Kind.

Dann sagte er eine Weile nichts mehr, machte mir irgendwann ein Zeichen, dass es was aufzuschreiben gebe, ich holte ein Blatt Papier und einen Bleistift, und Milan sagte, wie buchstabiert man das?

M, U, L, E, S, I, N, G, sagte er langsam zu mir, und ich schrieb es auf.

Nee, ehrlich, hörte ich ihn sagen, nie gehört.

Anouk sprach. Milan hielt mir einmal kurz das Telefon hin, damit ich auch hören konnte, wie sehr sie außer sich war, dann nahm er es selbst wieder ans Ohr.

Irgendwann schien sie Luft holen zu müssen, und Milan sagte sehr sanft, die Welt ist ein barbarischer Ort.

Zwischen ihn und seine Kinder passt kein Blatt Papier, nicht mal Seidenpapier.

Ja, sagte er. Ein irrer und ein barbarischer Ort.

Ich gab Mulesing bei Google ein, um halbwegs auf dem Laufenden zu sein.

Milan sagte, ja natürlich ist das grässlich, was die Farmer mit ihren Schafen machen, aber Anneli schaut auf den Markt. Ihre Sachen sollen schließlich halbwegs bezahlbar sein.

Das hätte er besser nicht gesagt.

In New York flossen Zornestränen, die von Frankfurt aus schwer zu stillen waren.

Hast du schon mit Johnny darüber telefoniert, sagte Milan.

Anouk hatte bereits wegen des Mulesings mit ihrem Bruder gesprochen.

Und? Was hat er gesagt, sagte Milan.

Dann lachte er und sagte, wart mal, ich erzähl das mal eben Leo.

Johnny hatte gesagt, es hätte schon seine Vorteile, wenn man sich nur mit virtuellen Geschöpfen befassen müsse. Mit virtuellem Urwald und mit virtuellen Sauriern und dem ganzen Zeug. Und demnächst kann ich dir Schafe drucken, hatte er gesagt. In dimensional.

Ich musste auch lachen, weil das ganz Johnny war, und das in New York war ganz Anouk, die mit ihren Stricknadeln in der Hand nicht nur die Pinguine, sondern am liebsten die ganze Welt retten würde.

In der Folge ihrer Pinguinaktion hatte Anouk die Tierschützer entdeckt und wäre beinah Mitglied von PETA Deutschland geworden. Milan hatte sie knapp noch davon abgebracht, weil es ihn geschafft hätte, wenn sie Veganerin geworden wäre, aber trotzdem hatte sie eine Weile lang das unbedingte Gefühl gehabt, dass die Welt zu retten wäre. Fehlte doch gar nicht mehr viel, wenn schon die Aktion mit den Pinguinen geklappt hatte. Da war Anouk gerade mal achtzehn.

Nein, natürlich bist du nicht verrückt, sagte Milan. Nein ganz ehrlich, du hast vollkommen recht.

Inzwischen hatte ich gegoogelt und wusste also, dass australische Farmer ihren Schafen ohne Betäubung die Haut um den Schwanz herum abschneiden, welche

Maßnahme dafür sorgt, dass die Schafe anschließend nicht von Fliegen und in deren Folge von der gefährlichen Fliegenmadenkrankheit befallen werden. Ein Mister Mules hatte das in den Dreißigerjahren des letzten Jahrhunderts zufällig herausgefunden, weil er eines seiner Schafe beim Scheren versehentlich in den Hintern geschnitten hatte, und siehe da: Es bekam keine Fliegenmadenkrankheit, und seitdem machen die australischen Farmer es, sie schneiden ihren Tieren den halben Hintern weg, und wenn sie es nicht täten, würden die Tiere millionenweise eingehen. Na ja, und natürlich machen sie es ohne Betäubung, weil es Merinoschafe sind und Merino das australische Ausfuhrprodukt überhaupt ist und der Preis natürlich nicht wegen irgendwelcher tierärztlicher Betäubungen in die Höhe getrieben werden soll.

Milan versuchte jetzt, Anouk zu beruhigen.

Otto Reutter, sagte er.

Ich ging in die Küche, um den Eiersalat für die Fahrt fertig zu machen, und hörte von da aus das Telefonat.

Anouk kannte keinen Otto Reutter, aber immerhin machte sie eine Pause, um sich anzuhören, was dieser Otto Reutter zum Mulesing zu sagen hätte.

O quäle nie, sagte Milan.

Anouk am anderen Ende war immer noch still.

Ein Tier zum Scherz, bedenk, es fühlt wie du den.

Pause.

Richtig, sagte er dann.

Na ja, sagte er nach einer Weile. Das eine ist das, was ihr im Kindergarten gelernt habt, und das andere.

Wart mal, Leo schreibt das auf, sagte er schließlich. Und ich schrieb auf: Z Q U E.

Bei Google kommt man damit nicht weit, und Milan, während er Anouk am Telefon weiter zuhörte, sagte zu mir, versuch's doch mal mit Zque-Label oder so was, und so erfuhren wir, dass australische, neuseeländische und patagonische Farmer, die ihren Schafen nicht den Hintern abschneiden, ihre ethische Wolle mit diesem Vier-Buchstaben-Siegel an Firmen verkaufen, die daraus ethische Mützen und Pullover für Bergsteiger oder sonstwelche Sportler herstellen, und Milan sagte zu seiner Tochter: Ich finde es manchmal ziemlich anstrengend, ein guter Mensch zu sein. Schließlich willst du doch keine Bergsteigerausrüstung kaufen, oder? Dir würde es doch reichen, wenn's die Wolle mit diesem Siegel gäbe.

Na ja, gut, sagte er, dann schauen wir mal bei Rosy Green Wool.

Er machte mir ein Zeichen, und ich sah am Computer nach.

Wer immer Rosy Green Wool ist: Sie verkauft tatsächlich ethische Wolle, und wahrscheinlich verkaufen noch ein paar andere Leute auch ethische Wolle, und natürlich stellte sich heraus, dass diese Wolle doppelt so teuer ist wie die von den Tieren mit den abgeschnittenen Hintern, natürlich, und natürlich hat es mit der

Massentierhaltung zu tun, aber ich hatte jetzt keine Lust, mir das genauer anzuschauen.

Ethik ist was für reiche Leute. Das weiß ich auch ohne Google.

Pass auf, sagte Milan. Du versuchst es noch mal mit Adèle S*, ja ja, ich weiß, du versuchst es also noch mal mit Anneli, und wenn's gar nicht anders geht, brichst du eben das Praktikum ab und kommst den Sommer zu uns runter nach Frankreich.

Das schien Anouk zu beruhigen, aber als wir nach dem Telefonat auf die Uhr schauten, war es fast Mitternacht.

Nur noch mal kurz Facebook, sagte ich, dann mache ich den Computer zu.

Nur um zu sehen, was sie der Welt schon zum Mulesing gesagt hat.

Es ist nicht so, dass ich unsere Tochter kontrollieren möchte, aber auf Facebook tun Menschen unter zwanzig nun einmal aller Welt kund, was sie tun und denken, und also ist es womöglich kein Eingriff in ihre Intimsphäre, wenn ich abends mal schaue, was meine Kinder der Welt heute kundgetan haben.

Anouk hatte ungefähr alles gesagt, was sie uns gesagt hatte, und sie hatte auch die entsprechende Seite der Tierschutzorganisation eingestellt. Mit Video.

PETA bringt immer die blutrünstigsten Videos über alles. Klar. Wer dagegen ist, dass die Welt ein barbarischer Ort ist, wird sonst nicht gehört, aber mit den blutrünstigen Videos schreckt er dann trotzdem alle ab, die ihn sonst vielleicht hören würden, ob das nun Freiheitskämpfer, Rebellen, Widerstandsorganisationen oder der Tierschutzverein sind. Jeder macht das so, und es hilft überhaupt nichts.

Jedenfalls sagte ich, so was so kurz vor dem Schlafengehen – das tue ich mir nicht an.

Zum Schluss hatte Anouk zusammenfassend kommentiert, was ihr zum Hinternabschneiden bei australischen Merinoschafen einfalle. Dafür hatte sie einen Link zu Ravelry eingestellt. Ich klickte den Link an, und ein Strickstück in Rot, Orange, Gelb und Schwarz erschien, mitsamt einer Anleitung zum freien Herunterladen. Es sah ausgesprochen anarchisch und zugleich sehr niedlich selbst gestrickt aus. Echt und aus Wolle zugleich. Von einem gewissen Romney Freeman.

Schau dir das an, sagte ich und hielt Milan den Bildschirm hin.

Es war eine gut erkennbare Bombe.

Ganz meine Anouk, sagte Milan vergnügt und voller Vaterstolz. Milan war bis Anfang der Neunzigerjahre in der Frankfurter Graffiti-Szene ziemlich bekannt gewesen und mit einiger Sicherheit der Sexiest Man Alive, jedenfalls in der Szene im Ostend, und ganz besonders sexy und unwiderstehlich wurde er endgültig, nachdem er gegen Ende seiner Graffiti-Laufbahn einmal bei einer Straßenbahn-Spray-Aktion in der Nähe des Bockenheimer Depots erwischt und für eine Nacht eingebuchtet worden war. Allerdings haben sie ihn dann wieder rauslassen müssen, weil sie ihn nicht bei der Tat, sondern kurz vorher abgefangen hatten, und der Besitz einer Spraydose in der Nähe des Bockenheimer Depots war vielleicht verdächtig, aber schließlich so wenig strafbar wie das Stricken einer Garnbombe.

Wenn Anouk jetzt Yarn-Bombs herstellte, war sie für Milan praktisch in der New Yorker Knitting-Guerilla, und die Knitting-Guerilla war mit Occupy Wall Street verbandelt, und das gefiel ihm entschieden besser, als wenn sie Pinguine rettete und er mit ihr über ihren Beitritt zu PETA diskutieren musste.

Dann wurde er misstrauisch.

Wer ist Romney Freeman, sagte er.

Anouk ist erst achtzehn.

Freeman ist bestimmt ein Pseudonym, und übrigens: Sehr viel älter warst du damals auch nicht, sagte ich.

Dann sah ich bei Facebook nach und sagte, es gibt ihn in echt. Romney Freeman ist jung, ganz hübsch, hat Ethnologie studiert …

Milan unterbrach mich verärgert und sagte, das hätte man sich ja denken können.

Und lebt in Anchorage, sagte ich. Wo immer das sein mag.

Liegt Anchorage nicht in Alaska, sagte Milan. Er klang etwas beruhigter, weil es ihm unwahrscheinlich schien, dass Anouk den Strickbombenbastler persönlich kannte, wenn er in Anchorage, Alaska, lebte, aber ich las dann weiter, dass dieser Romney Freeman für die North Pole Yarn Company arbeitete.

Und unter Anouks 584 Facebook-Freunden war er natürlich auch.

Lass uns ins Bett gehen, sagte Milan entnervt, ich schau mir auch nicht mehr an, was Sven heute für einen Mist mit seiner Box angestellt hat, er geht mir gehörig auf die Nerven.

Ich sagte nichts, sondern beschloss, mir heute auch nicht mehr anzusehen, was sich bei »text und textil« getan hatte. Normalerweise sind es so zwischen zwanzig und dreißig Downloads. Wir hatten einen verregneten Frühling gehabt, bei Kälte und Regen stricken die Leute, aber ich nahm an, dass es jetzt im Sommer etwas weniger werden würde, sobald die Sonne sich mal zeigte. Im Sommer ist für die Strickbranche Saure-Gurken-Zeit, weil den Leuten erst im November einfällt, dass in diesem Jahr überraschenderweise der Winter um diese Zeit etwa anfängt, und dann fällt ihnen Anfang Dezember ein, dass überraschenderweise in vier Wochen Weihnachten ist, und weil der Winter und Weihnachten meistens zusammenfallen und nach Kamin und Sofakuscheln in warmen, weichen Strickstücken oder unter ebensolchen Decken verlangen, kann sich die Strickbranche bis Anfang Januar freuen. Aber dann kommen die Strickpakete mit dem roten Zeugs in Mengen von unterm Weihnachtsbaum auch schon wieder zurück: Natürlich kann keiner einfach deshalb plötzlich stricken, weil er ein Pfund rote Wolle unterm Tannenbaum gefunden hat, die kamin- und kuschelhalber gekauft worden und farblich auch nur deshalb angeschafft worden ist, weil das Rot so schön zum Tannengrün passt. So ein Geschenk ist ja schließlich kein Grund zum Strickenlernen. Anfang des Jahres geht der Winterschlussverkauf los; und nach dem Schlussverkauf fängt dann die Saure-Gurken-Zeit für die Strickbranche an, weil bereits kurz nach dem Karneval die Sportbranche oder die Campingbranche dran sind, die Urlaubsbranche, textil gesehen ist das alles Mikrofaser, und natürlich die Balkonbegrünungsbranche mit den Geranien und den Petunien. Jedenfalls Outdoor.

Ich hab keine Lust mehr auf Sven, ich seh's mir unterwegs auf irgendeinem Parkplatz morgen Mittag an, sagte Milan. Erst mal schlafen und früh losfahren, dann sehen wir weiter.

Sven möchte partout eine überdimensionierte Hornbox. Er redet etwas dickbräsig herum, was er bei Milan besser nicht täte, aber Sven ist sehr sachverständig und erzählt Milan also von seinem Eckhorn-Subwoofer mit Aktivmodul, mit dem er einen schwächlichen Bass bis fünfunddreißig Hertz nach unten erweitern könnte, und verkündet, dass er den Pegelanstieg mit einer Impedanzlinearisierung abbiegen könnte, aber es läuft jedes

Mal darauf hinaus, dass Milan ihm sagt, er sollte von der Hornbox besser die Finger lassen oder wenigstens darüber nachdenken, dass man so ein Horn schließlich auch zwölfkantig falten könne, jedenfalls solle er über die Zwölfkantenfaltung eher nachdenken als über den albernen Subwoofer, solange er und seine Freundin sich achtundvierzig Quadratmeter übelste Raumakustik in Griesheim teilten, wo es über und unter ihnen und nebenan in alle Richtungen nur so von Nachbarn wimmelte, die nicht begeistert sein würden von dem Klang.

Sven hat Milan irgendwann am Schluss einer seiner Mails etwas kleinlaut davon berichtet, dass Chrissi ihn vor die Wahl stellte: entweder die Profi-Monster-Hornbox oder ich, aber Sven war dadurch nur wenig zu beeindrucken; im Grunde träumte er davon, dass Chrissi diese Hornbox in ihrem Innersten eigentlich auch wollte. Du willst es doch auch. Und sobald sie das einmal verstanden hätte, würden sie gemeinsam glücklich vereint neben der Riesenbox im Bett liegen und Einstürzende Neubauten hören. Aber Chrissi wollte keinen ihrer achtundvierzig Quadratmeter diesem Lautsprecher opfern, und außerdem, so Milan, war es ein idiotischer Boxentraum von Sven, weil Sven kein bisschen sachkundig war.

Was die Leute sich so in den Kopf setzen, anstatt zu sehen, was sie wirklich tun und brauchen können.

Wär doch so einfach, sagte Milan noch kurz vor dem Einschlafen. Bassreflex, Press-Spanplatte oder MDF,

Putzwolle. Für Chrissi peppig lackiert; ganz einfach, und die Sache hätte sich. Kuschelrock statt Einstürzende Neubauten und kleine Box statt großer Beziehungskiste.

Am nächsten Tag fuhren wir ins Languedoc.

Inzwischen ist es fast egal, wo einer ist: Innerhalb Europas ist alles Europa, und sogar innerhalb der Welt ist alles im Grunde dasselbe, und was nicht dasselbe ist, ist Folklore. Vielleicht nicht gerade in Syrien oder Afghanistan, davon bekommt man allerdings nicht viel mit, weil da keiner reingeht und Dokumentarfilme macht, aber bis es beispielsweise in Niger und Somalia auch so ähnlich ist wie überall, gehen gelegentlich mal welche rein, obwohl das gefährlich ist, aber immerhin gehen sie rein und drehen dort Dokumentationen für Arte und Phoenix. Schon wegen der Folklore. Abgesehen von Syrien, Afghanistan oder Somalia und solchen Gegenden ist jedenfalls überall alles gleich, schon wegen der Börse.

Überall sonst gibt es Pizzerien und Supermärkte, überall gibt es Events und Incentives, für die eine Firma Sunset Milan beschäftigt, der sich um die Bestuhlung kümmert, ums Screenfilling, die Giebel- oder Tonnenbühne, LED oder Laser, Behindertenparkplätze werden überall gebraucht und massenhaft Mineralwasserflaschen.

Überall verspricht die Regierung rasche unbürokratische Hilfe, egal ob der Osten in Deutschland oder Teile von Polen oder der Süden von Frankreich überschwemmt oder von Erdbeben erschüttert werden, und überall, wo die Regierung rasche unbürokratische Hilfe verspricht und die Menschheit nach Kräften spendet, kommen diese Hilfe und die Spenden weder rasch noch unbürokratisch, sondern gar nicht an, weder bei Erdbeben noch bei den Überschwemmungen, weil die Staatssekretäre sich um die Logistik der Weltwirtschaftskrisen kümmern anstatt um lokale Katastrophen, in denen übrigens auch massenhaft Mineralwasserflaschen benötigt würden, und so geben die Leute nach jeder Überschwemmung und jedem Erdbeben ihre zerstörten Häuser auf und gehen weg. Andere kommen dann daher und kaufen das verwüstete Land, sehr gern auch mit Gift im Boden, besonders überschwemmtes Land ist so richtig mit Gift voll, sehr gern also wird solches Land auch mit Gift im Boden und ganz ohne Häuser und Leute gekauft, und die mathematische Menge A der Leute, die ihre Häuser aufgeben und weggehen, ist um ein Exponentielles größer als die mathematische Menge B der Leute, die das versaute Land dann kaufen, sehr gern auch ohne Häuser, weil sie weit entfernt von jeglichem Krisengebiet ihre eigenen Häuser haben und keine erdbebenzerstörten oder überschwemmten und kaputten Häuser brauchen, wo schon die Menschen weggehen, die sie gebaut und bewohnt hatten, bevor sie von Erdbeben zerstört oder überschwemmt wurden.

Die paar Leute aus der mathematischen Menge B kaufen das verwüstete Land, weil sie auch aus solchen Krisen mindestens millionär herauskommen, in denen sie gar nicht drin sind, sondern die irgendwo in Europa oder auf der Welt von Natur wegen in Gegenden stattfinden, in die sie nie einen Fuß setzen würden.

Fontarèche ist allerdings ein sehr kleiner Ort in Europa, die letzte Überschwemmung mitsamt der raschen unbürokratischen Hilfe liegt über zehn Jahre zurück, und bis zum nächsten europäischen Supermarkt sind es immerhin etliche Kilometer. Zwanzig oder so. Touristen kommen nur wenige nach Fontarèche, weil der Ort vom Fluss so weit entfernt ist wie der Supermarkt, und die Touristen fahren gern dahin, wo es Flüsse und Supermärkte gibt, oder umgekehrt, die Supermärkte werden gern dort gebaut, wo wegen der Flüsse Touristen sind, alles eine Frage der Logistik, und die letzte Überschwemmung liegt über zehn Jahre zurück, also sieht man kaum mehr etwas davon, jedenfalls hatte Jeremiah das gesagt, der uns auch erzählt hatte, dass bei der letzten Überschwemmung ziemlich viel den Fluss hinuntergeflossen sei: Matratzen, Kinderwagen, Stiere und Häuser, Pferde und Kühlschränke. Was eben so an kaputtbarem Zeug am Rand des Flusses alles herumgestanden hatte.

Und was mal den Bach runter ist, das ist weg, das sieht man nicht mehr, also stört es auch keine Touristen, von denen es in dem winzigen Ort Fontarèche aber sowieso nur wenige gibt, weshalb Jeremiahs Haus die meiste Zeit leer steht.

Wir hatten hinter Lyon wegen eines Unfalls im Stau gehangen, Wohnmobil gegen Lkw, sicherheitshalber hatte Milan bei der Agentur angerufen, die Jeremiahs Haus verwaltet, und jemand hatte ihm gesagt, dass Pierre für uns zuständig sei und auf uns warten würde, jedenfalls bis 20 Uhr 30, aber dann hatten wir es gerade noch bis 19 Uhr geschafft und sogar noch Zeit gehabt, unterwegs einen Côtes du Rhône zu kaufen, sogar in einem richtigen kleinen Weingut an der Landstraße vor Bagnols.

Dann also Agence du Sud. Uzès. Drei große Türme mit Reisebussen daneben, ein kleiner Boulevard, jede Menge Immobilienagenturen, ein paar Pizzerias, Platanen.

Ein Boulevard und Platanen, wie sich das in Frankreich gehört, sagte Milan.

Pierre hatte Anzug und Krawatte an, die zur Agence du Sud passten: ein edles Büro in einem alten Haus mit Natursteingewölbe. Daher war es im Haus auch kühl, während es draußen um 19 Uhr noch immer um die dreißig Grad warm war und kein Mensch einen Anzug trug. In der Agentur hätte der Anzug eigentlich gepasst, aber sobald Pierre den Mund aufmachte, war der Anzug einfach nur unpassend und lustig, weil Pierre einen derartig schweren Akzent hatte, dass sogar ich ihn verstehen konnte, also nahm ich ihm den Anzug und die Krawatte nicht ab.

Er war mit Jeremiah in die Schule gegangen, nicht in die gleiche Klasse, aber sie waren zusammen in der Rugby-Mannschaft gewesen.

Sie kennen Rügbi?, sagte er stolz, und da wir beide ernsthaft nickten und uns Rügbi also offenbar vertraut war, betrachtete er Milan und mich vermutlich als Sportsfreunde, wenn nicht gleich als Mannschaftskameraden, und wenn man hinterher überlegt, wann die tektonischen Vorgänge dieses Sommers begonnen haben, dann muss man sagen: Damit, dass Pierre uns als Rugby-Sportsfreunde betrachtete, fing alles an. Vielleicht wäre der Sommer sonst völlig anders verlaufen.

Ganz sicher sogar wäre der Sommer sonst anders verlaufen, aber das wussten wir an dem Abend natürlich noch nicht, als wir mit Pierre den Boulevard entlang zu seinem Wagen schlenderten, mit Pierres Wagen dann zu unserem Wagen fuhren und Pierre uns erzählte, dass Uzès ein teurer Ort sei.

Die Stadt mit dem höchsten Pro-Kopf-Steueraufkommen in ganz Frankreich, sagte er, und Milan fragte, woran das liege.

Les Parisieng, sagte Pierre und zeigte auf das Schaufenster eines weiteren Immobilienbüros, in dem, wie in der Agence du Sud, Häuser, Villen und sogar zwei Schlösschen angeboten waren und offenbar auf die reichen Pariser warteten, die dem Ort die hohen Steuereinnahmen bescherten.

Man kann's verstehen, sagte Milan. Schön ist es hier.

Hat sich Brad Pitt auch gesagt, sagte Pierre. Der hat sich was gekauft, hier gleich um die Ecke, aber das will nichts heißen. Ein paar Kilometer Zäune hat er ziehen lassen, aber ich glaube, er war dann doch noch nie hier.

Aber Jean-Louis Trintignant, sagte er dann, vielmehr sagte er Jang-Louis Trentinjang, und es schwang eindeutig Regionalstolz in seiner Bemerkung mit. Wahrscheinlich hatte Trentinjang Verbindungen zur Rügbi-Mannschaft der Stadt. Bestimmt hatte er das, jedenfalls hat die Stadt eine Schule nach ihm benannt.

Den sieht man aber auch nie, setzte Pierre etwas kleinlaut dazu, und ich musste lachen, weil es die lauterste Ehrlichkeit war, die ihn dazu genötigt hatte, das Jeremiahs Freunden gegenüber zuzugeben.

Pierre gefiel mir, und als er in der Abendhitze sein Jackett auszog und über die Schulter warf, fing er an, so auszusehen, wie er sprach.

Nach einer Pause sagte er nachdenklich und ein bisschen trotzig, aber der ist trotzdem da. Jang-Louis Trentinjang persönlich.

Ich dachte, genau wie die Parisieng.

So, sagte Milan. Es war eine Frage. Wenn man ihn nie sieht?

Doch doch, sagte Pierre, das ist sicher. Weil der nämlich Motorrad fährt.

Und, sagte jetzt ich.

Den legt's alle halbe Jahr mit dem Motorrad auf die Nase, der fliegt gern mal aus der Kurve, und dann steht das in der Zeitung.

Na dann, sagte Milan.

Schließlich fuhren wir Pierres Jeep hinterher bis nach Fontarèche. Das Haus lag am Ende eines kleinen staubigen Holperwegs mit tiefen Löchern darin.

Pierre schloss auf, gab Milan die Schlüssel und klappte von innen die Fensterläden auf.

Alles da, sagte er und zeigte uns als Erstes die Küche mit der Kaffee- und der Geschirrspülmaschine, dem riesigen Kühlschrank.

Amerikanischer Kühlschrank, sagte er. Den braucht man hier im Sommer. Er machte die Tür auf und zog aus der Gemüseschublade ein DIN-A4-Blatt in Plastikhülle hervor.

Steht Ihr Wi-Fi-Code drauf, sagte er, und ein paar Telefonnummern. Feuerwehr, Notarzt und so.

Im Wohnzimmer sah man gegen das Licht in schmalen Streifen Staubkörnchen tanzen. An einer Wand stand eine gewaltige Heimkinoanlage in einem sonderbaren Kontrast zu den plumpen, dunklen Holzmöbeln von Jeremiahs Eltern, den schweren Vorhängen mit uralten farblosen Quasten daran.

Jeremiah, sagte Milan und zeigte auf die Anlage.

Der hat hier alles gemacht, sagte Pierre. Die Anlage,

die ganzen Leitungen, den Satelliten, das Dach, na ja eben alles. Und dann ist er doch nie da.

Genau wie Brad Pitt, sagte ich und musste wieder lachen, weil Pierre ganz offensichtlich lieber Brad Pitt und Jeremiah in seiner Nähe gehabt hätte als die reichen Pariser, die immerhin seinem Chef die Einkünfte und ihm seinen Arbeitsplatz verschafften. Aber wenigstens waren jetzt wir vertretungshalber da.

Das Haus roch unbewohnt und klamm. Auch bei offenen Fensterläden kam nicht viel von dem Frühsommerlicht herein, gerade nur so viel, dass man den Staubtanz bewundern konnte, und es war kühl. Pierre zog sein Jackett wieder an.

Bis vorgestern hat's geschüttet, sagte er. Den ganzen Frühling hat's nichts als geschüttet. Kein Spargel, die Erdbeeren viel zu spät, den Kirschen ist nichts passiert, eigentlich komisch, aber die Apfelblüte hat's abgefroren, wo die Äpfel doch später sind als die Kirschen. Und demnächst soll wieder ein Wetter kommen, sagte er. Pech für die Aprikosen. Und für den Wein sowieso.

Meine Frau hat die Betten bezogen, sagte er noch und machte die Schlafzimmertür auf, und ich hab das Schwimmbad in Gang gesetzt.

Zu Milan sagte er, nicht dass Sie einen Schreck kriegen, falls Sie den Skimmer aufmachen: Sind manchmal tote Kröten drin.

Wir gingen auf die Terrasse, auf der ein paar gestapelte Plastikmöbel standen und in einer Ecke ein großer Holzkohlegrill eingebaut war. Hinter der Terrasse kamen eine Reihe Oleanderbüsche, dann ein Stück Rasen mit dem Schwimmbad; dahinter wurde der Boden sandig. Darauf standen ein paar Pinien und etliche kleine Bäume, die ich nicht kannte.

Sieht aus wie Eichen, nur in Miniatur, sagte Milan.

Trüffelbäume, sagte Pierre. Wird dieses Jahr bestimmt nichts mit werden, mit den Trüffeln. Bei dem Wetter sowieso nicht.

Hinter den Pinien und den Trüffelbäumen fing der Wald an.

Guter Maronenwald, sagte Pierre mit einer weiten Geste über die Landschaft. Überall hier. Pilze und Maronen.

Milan entdeckte den Stacheldrahtzaun als Erster. Er stand am Waldrand.

Wir sahen uns kurz an, weil wir beide nicht genau begriffen, was das war. Das heißt, wir begriffen genau, was das war, wir wussten nur nicht, warum das hier herumstand, weil es nicht hierher gehörte.

Es war ein Zaun, der an den Eisernen Vorhang erinnerte. Steckzaun, elektrisch. Instinktiv suchte das Auge, ob es irgendwo Wachtürme gab.

Pierre sah, was wir gesehen hatten, und stieß zur Erklärung nur ein einziges Wort hervor, er nuschelte es grimmig vor sich hin, und ich verstand nicht, was er da sagte.

Milan nickte, und ich buchstabierte im Kopf S.A.N.G.L.I.J.E. und merkte mir die Buchstabenfolge. Es gibt Wörter, die merkt man sich allein an der Art, wie sie ausgesprochen werden, aber ich fragte nicht.

Die Leitungen hat auch Jeremiah gelegt, sagte Pierre. Er zeigte mit dem Arm in Richtung des Waldes, um anzudeuten, dass die Leitungen bis weit in den Wald hinein reichten. Eben alles.

Dann setzte er noch hinzu, dass diese S.A.N.G.L.I.J.E. eine Plage seien. Seit ein paar Jahren.

Nach einer Pause kam er ins Reden.

Allein im letzten Jahr haben wir zwanzigtausend von denen abgeknallt, sagte er, und das sind nur die offiziellen. Wenn Sie die Nichtregistrierten mitrechnen, sind es noch ein paar Tausend mehr.

Ich geriet sofort ins Grübeln über die nicht registrierten Wesen.

Manche versuchen seit Jahren, aus Niger und Somalia wegzukommen oder aus Ländern, wo nicht einmal Phoenix und Arte reingehen, weil es da keine Folklore gibt, die man zeigen könnte, sondern im Wesentlichen nur Selbstmordattentäter, Salafisten und Bürgerkrieg wegen der Salafisten, die es im Übrigen erst seit der Wirtschaftskrise gibt, vorher wusste kein Mensch, dass es Salafisten überhaupt gibt, und dann versuchen die Leute also wegen dieser Salafisten aus den folklorefreien Weltregionen wegzukommen, gehen mit ihren klapprigen Schiffen im Mittelmeer unter und saufen ab, bevor sie die Stacheldrähte und Steckzäune erreichen, die uns gegen unregistrierte Wesen schützen, weil wir sonst alle an Aids und Arbeitslosigkeit zugrunde gehen würden, die solche unregistrierten Wesen nun einmal mit sich bringen.

Milan schien sich über das bürokratische Detail nicht zu wundern. Aber er hatte auch aufgehorcht. Wegen des Abknallens.

Er fragte nach, wer im Zusammenhang mit dem Abknallen »wir« sei, und Pierre wurde wieder einsilbig. In seinem Anzug mit dem Schlips und dem Jackett sah er nicht so aus, als würde er zu denen gehören, die mit der Flinte auf alles schießen, was sich bewegt, aber in diesem Anzug war er jetzt noch mehr verkleidet als vorhin in der Agentur, wo der Anzug auch schon nicht zu seinem Tonfall mit dem schweren Akzent gepasst hatte, aber immerhin noch zur Agentur, die plötzlich sehr weit weg war.

Ich überlegte, wovon wohl so viele Exemplare abgeknallt worden sein könnten, mit oder ohne Registrierung, es mussten immerhin größere Lebewesen sein, wenn Jeremiah eigenhändig ein paar Hundert Meter Stacheldrahtzaun gelegt hatte, ich strich die Flüchtlinge aus Somalia und Niger, weil das nur eine Assoziation gewesen war und natürlich kein bisschen realistisch, aber es war eben eine Assoziation gewesen, und man hat solche Assoziationen nie so ganz grundlos, auch wenn sie nicht realistisch sind; und komischerweise kam ich danach nur auf Wölfe oder Bären, dabei hätte ich mir gleich denken können, dass Wölfe und Bären auch nicht realistisch waren.

Auf Wildschweine kam ich nicht. Dabei hatte ich vor einiger Zeit gelesen, dass die Wildschweine in Europa vor hundert Jahren fast ausgestorben waren, aber inzwischen gibt es wieder jede Menge; allein in Deutschland leben ein paar Millionen. Ziemlich viele auch in Berlin, jedenfalls ging die Meldung darum. Eins war sogar am Alexanderplatz gesehen und folglich fotografiert worden. Der Artikel beschäftigte sich mit dem exponentiellen Wachstum des Wildschweinbestands, aber ich hatte ihn gleich wieder vergessen, weil der Autor bloß einen Artikel zum Foto hatte schreiben sollen und keine Ahnung von exponentiellem Wachstum hatte, jedenfalls schien er die Vermehrung der Wildschweine für einen bösartigen Angriff auf die Menschheit zu halten, und gelegentlich schrieb er, dass sie sich explosiv entwickle, nur um die Wiederholung des Exponentiellen zu vermeiden. Es ist merkwürdig: Bis heute lernen Kinder in der Schule, dass man unter keinen Umständen zweimal dasselbe Wort auf einer Seite schreiben darf, sonst gibt es rot was an den Rand; über die thermodynamischen Hauptsätze und die Entropie lernen sie offenbar immer noch nichts, und daher wundert sich keiner, wenn plötzlich in einem Zeitungsartikel der Wildschweinbestand einmal exponentiell und danach gleich explosiv wächst, weil der Autor Angst hat, das exponentielle

Wachstum noch ein zweites oder sogar ein drittes Mal zu benennen, einfach weil es exponentielles Wachstum ist und nach den Gesetzen der Thermodynamik funktioniert, aber das ist Mathematik und Physik, und bis heute ist es wichtiger, im Deutschaufsatz auf einer Seite möglichst kein einziges Mal ein Wort zu wiederholen, selbst wenn es das einzig richtige Wort ist, als ein bisschen Mathematik und Physik oder überhaupt zu wissen, dass es so was wie die thermodynamischen Hauptsätze gibt.

Anouk sagt, die Wände könnte ich hochgehen, wenn alle sich immer selbst so toll finden und dafür feiern lassen, dass sie in Mathe und in Physik die totalen Nullen sind und bei Logik keinen Durchblick haben.

Jedenfalls hatte ich den Artikel gleich wieder vergessen, weil es einer von den Content-Artikeln war, die jede Redaktion und jede Agentur sich inzwischen für ein paar Cent bestellen, solange es dafür noch keine Software gibt, und deshalb kam ich jetzt eher auf Somalier und Wölfe als auf Wildschweine.

Auf Mäuse jedoch kamen wir beide gleich, Milan und ich, als wir die Fallen im Haus entdeckten, und nachdem wir den Geräteschuppen mit dem Computer hinter dem Swimmingpool besichtigt hatten, kamen wir auch auf Ratten. Der Rattengiftmenge nach zu schließen, mussten es viele Ratten sein, das Gift stand in zwei großen Fünfkilodosen herum.

Die Fallen können Sie vergessen, sagte Pierre. Ich hab sie zwar aufgestellt, aber die sind Made in China. Da hat hier noch niemand was drin gefangen. Das sind winzige Feldmäuse, was wir hier haben. So kleine scheinen die Chinesen gar nicht zu kennen.

Milan sagte, und das Rodentizid? Das sind immerhin ganz schöne Mengen.

Was ein Rodentizid ist, wusste wiederum ich nicht und wunderte mich, was für Wörter Milan kannte, dabei war es eigentlich logisch. Schließlich müssen Eventmanager sich vermutlich auch darum kümmern, dass Events in rattenfreier Umgebung stattfinden, trotzdem hatte ich nicht gewusst, dass Milan damit beschäftigt war, aber natürlich weiß Milan, dass ich vor dem Frühstück und Schlafengehen keine PETA-Videos mag und sie tagsüber eigentlich auch nur ansehe, weil Anouk unsere Tochter ist und ich ihr zuliebe sogar zuschaue, wie mongolische Kaschmirziegen massakriert und chinesische Angorahäschen zum Scheren auf Bretter gespannt und ziemlich gefoltert werden, das Foltervideo hatte ich mir besonders ungern angesehen, und ich nahm an, dass Milan mir die Sache mit den Ratten und dem Fremdwort nicht erzählt hatte, weil ich dazu gar keinen PETA-Film sehen muss. Nicht unbedingt. Zu den Merinos mit den abgeschnittenen Hintern würde ich mir den Film vielleicht Anouk zuliebe wenigstens anhören. Anschauen eher nicht. Jedenfalls nicht auf Jeremiahs Heimkino.

Ach wissen Sie, sagte Pierre. Es gibt Schlimmeres als ein paar Kilo Rattengift.

Ich hab auch was auf den Dachboden getan, aber die Biester sind schlau, die nehmen es nicht. Nur dass Sie sich nicht wundern.

Ich nahm mir vor, mich nicht zu wundern, aber ich wusste nicht so recht, worüber ich mich nicht wundern sollte, weil ich noch nie eine Wohnung mit Mäusen und Ratten geteilt hatte.

A la belle étoile, dachte ich. Wir könnten ja à la belle étoile schlafen.

Milan bot Pierre ein Glas Wein an, aber der wollte nicht.

Vielleicht ein andermal, sagte er, und ich wunderte mich darüber, weil ich gedacht hätte, dass wir Pierre nicht unbedingt noch einmal sehen würden, allenfalls am Ende unseres Aufenthalts, wenn wir in die Agentur müssten, um den Schlüssel abzugeben.

Gern, sagte Milan, dessen Großmutter immerhin Französin gewesen ist und der sich vielleicht deshalb nicht wunderte. Womöglich sagen Franzosen einfach »ein andermal«, wenn sie eigentlich sagen wollen, ich möchte lieber nicht.

Avec plaisir, sagte Milan jedenfalls, als wäre es ausgemacht, dass wir ein andermal ein Glas Wein zusammen trinken würden.

Und das würden wir, aber das wussten wir natürlich noch nicht.

Mit wem alles wir noch ein Glas Wein trinken würden.

Bevor er sich schließlich verabschiedete, sagte Pierre: Das Wasser hier können Sie trinken. Aber ich würd's trotzdem nicht.

Der Satz hing sonderbar in der Luft.

Mir schien, dass Pierre uns mehr erzählt hatte, als er eigentlich vorgehabt hatte, und dass seine obskure Wasserbemerkung nun der ultimative Gipfel einer Reihe von vertraulichen Mitteilungen gewesen war, wahrscheinlich war diese Wasserbemerkung überhaupt nur durch den Umstand erklärbar, dass wir alle mehr oder weniger derselben Rugby-Mannschaft angehörten, Pierre, Jeremiah und wir, Jean-Louis Trintignant natürlich auch. Ich sah Milan an, dass er gern gefragt hätte, warum Pierre das Wasser nicht trinken würde, wenn man's doch könnte, aber ich glaube, Milan hatte dasselbe Gefühl wie ich, jedenfalls fragte er nicht und sagte stattdessen, macht auch nichts, wir werden ja sowieso morgen früh mal zum Supermarkt fahren.

Klar, sagte Pierre. Er klang jetzt verlegen. Und decken Sie sich sicherheitshalber ein, für übermorgen ist Wetter angesagt.

Es war Sommer. Wir machten Ferien. Wir waren in Frankreich.

Es gab ein paar Mäusefallen, etwas Rattengift und

einen Zaun gegen Wildschweine. Sonst nichts. Eine Wetterankündigung, aber doch immerhin im Sommer. Uns war dennoch sonderbar zumute.

Wir lüfteten Jeremiahs Haus, nahmen von den gestapelten Plastikmöbeln einen Tisch und zwei Stühle, gossen uns ein Glas Côtes du Rhône ein und setzten uns mit Blick auf den Eisernen Vorhang hinter den Oleanderbüschen auf die Terrasse, bis Milan sagte, dann will ich mir doch mal Jeremiahs Heimkino ansehen und schauen, dass wir ins Netz kommen.

Derweil packte ich aus und stellte fest, dass ich zwar die Anleitung für ein Lace-Tuch mitgenommen hatte, das Anouk für eine japanische Markengarnfirma entworfen hatte, mit der Anneli Schachtschneider Geschäfte machte; das dazugehörige Abschreibungsgarn allerdings hatte ich verwechselt und statt des hellgrauen Leinens ein Stainless-Steel-Garn eingepackt, das auch hellgrau war.

Garn mit Gedächtnis. Eine lustige Angelegenheit, weil sich alles damit in jede Form bringen lässt, in die man es zieht. Funktioniert aber nur als Beilauffaden.

Ich hab die falsche Wolle dabei, rief ich Milan ins Wohnzimmer zu, und dann telefonierten wir erst mit New York und dann mit Manchester: Klar, richtig heiß, wie sich das in Südfrankreich gehört. Und stell dir vor, winzige Feldmäuse, ja, und massenhaft Rattengift im Geräteschuppen, aber sonst sehr schön, der Oleander blüht rot und rosa, ja, Pinien auch, und Esskastanien; der Pool funktioniert, aber wir sind noch gar nicht auf die Idee gekommen, nein, die Gegend erkunden wir morgen, Gruß an Debbie, nein, du brauchst das Garn nicht zu schicken, schließlich sind wir ja nicht aus der Welt, es wird ja wohl hier einen Wollladen geben, muss ja nicht gleich japanische Luxusware sein, irgendwas wird sich schon finden, ja, ich denk dran, die Nadeln habe ich schließlich dabei.

Du weißt schon, dass wir hier im Ausland sind, das Telefonieren wird ziemlich teuer, ja, schick mir lieber ein Mail.

Milan sah sich nur noch kurz die neueste Entwicklung in Sachen Svens Liebe zur raumgreifenden Hornbox an, ich hatte siebzehn verkaufte »Einer für alle«-Pullover im Tablet und eine Anfrage wegen der Übersetzung des dreihundertsten Sockenbuchs dieser Saison, das möglichst pünktlich für den Weihnachtsmarkt fertig sein sollte.

Es ist unglaublich, sagte ich und legte Elizabeth Zimmermanns Workshop auf meinen Nachttisch. Spiralsocken, Toe-up, Flat Heel, seitwärts am Stück mit angestrickter Spitze, zwei Strümpfe parallel mit Magic Loop, du kannst dich vor Sockenbüchern kaum retten, aber Zimmermann kriegst du partout nirgends durch. Wenigstens das Biografische müsste sich doch machen lassen. »Knitting around«. Allein schon wegen des Titels: »Rumstricken«. Und sind außerdem noch

Socken drin, ganz nebenbei. Wie sich das für Socken gehört.

Milan sagte, auch Sockenaufträge sind Aufträge, und ich sagte, jetzt klingst du schon wie Johnny.

Es war inzwischen dunkel geworden, wir hatten die Fahrt in den Knochen und merkten, dass wir nichts gegessen hatten, seit der Eiersalat in der Gegend von Beaune alle gewesen war.

Im Kühlschrank war nichts als das DIN-A4-Blatt in der Plastikhülle.

Milan nahm es und sagte, ich hab mir das vorhin mal kurz durchgelesen.

Und, sagte ich.

Hört sich sonderbar an, sagte er und übersetzte mir beim Vorlesen: Bei eventuellen Zwischenfällen wenden Sie sich bitte an.

Das will ich doch nicht hoffen, das mit den eventuellen Zwischenfällen, sagte ich.

In dem Moment fingen die Geräusche über uns an.

Ich hatte noch nie Tiere über mir wohnen gehabt. Nicht dass ich mich nach Pierres Warnung gewundert hätte, aber diese hier waren erstaunlich laut. Sie wohnten offenbar nicht auf dem gesamten Dachboden, sondern nur auf einer Seite, jedenfalls zogen sie mit ihren Zehennägeln akustische Linien kreuz und quer über den Boden, aber nur auf der einen Seite. Nur im westlichen Teil, der östliche blieb still.

Ein bisschen zu laut für Mäuse, sagte Milan. Horch doch mal.

Ich sagte, es ist beruhigend, einen Mann zu haben, der sich mit solchen Sachen auskennt.

Das Lager in Hanau ist voll mit Mäusen, sagte Milan. Die fressen sich hemmungslos durch alles durch, jede Isolierung, sogar durch Styropor. Bei praktisch jeder Verpackung. Und wenn du Pech hast, nagen sie dir von den Boxen die Eingangskabel durch.

Die also nicht, sagte ich. Dann also Ratten.

Ich schätze, Pierre hat das Gift da oben ausgelegt, sagte Milan und zeigte mit der Hand hoch an die Decke, auf den östlichen Teil der Decke. Da tut sich gar nichts.

Wir gingen ins Schlafzimmer, um zu hören, ob sich darüber was täte, und beschlossen, dass wir nach der langen Reise trotz der Geräusche schlafen könnten. Wir hatten schließlich sogar inmitten von Kühen und Schafen schlafen können, als wir das letzte Mal in Frankreich Ferien gemacht hatten.

Also was ist das jetzt mit den eventuellen Zwischenfällen, sagte ich, als wir im Bett unter einer riesigen Bettdecke für zwei lagen, von der ich mir merkte, dass wir uns unbedingt so eine kaufen sollten, eine so riesige Bettdecke für zwei hatte ich in meinem ganzen Leben noch nicht gesehen. Die Decke war die luxuriöse Steigerung unserer ehemaligen Armeeschlafsäcke.

Na ja, sagte Milan, da stehen ein paar Namen und

Telefonnummern. Ärztlicher Notdienst und solche Sachen.

Er druckste herum. Ich wartete.

Und dann steht da noch was.

Mach's nicht so spannend, sagte ich, ich bin ehrlich müde.

Milan sagte, da steht, wenn wir etwas Verdächtiges bemerken, sollen wir es unbedingt weitergeben. Und darunter stehen dann noch mal ein paar Namen und Telefonnummern.

Was sollte das Verdächtiges sein, sagte ich.

Zum Beispiel seismische Fahrzeuge, sagte Milan. Steht da.

Außerirdische sagte ich, weil ich mir unter einem seismischen Fahrzeug nichts vorstellen konnte. Und wen sollen wir dann informieren?

Die Kommune und noch wen. Habe ich mir nicht gemerkt, sagte Milan und gähnte. Bloß einen Namen habe ich mir gemerkt, weil er durchgestrichen ist. Mitsamt der Telefonnummer.

Nämlich, sagte ich.

Klingt, als wär's eine Pizzeria, sagte Milan. Bella Luna. Ist mit Filzstift durchgestrichen.

Pleitegegangen, sagte ich.

Milan murmelte noch im Einschlafen, dass er nichts gegen die funktionierende Telefonnummer eines Pizzaservice einzuwenden hätte.

Aber dann überwog die Müdigkeit, und nachdem

ich eine Weile der äußerst geschäftigen Großfamilie über uns bei ihrem Nachtleben zugehört hatte, schlief ich mit dem festen Vorsatz ein, in Frankreich jedenfalls so eine luxuriöse Bettdecke für zwei zu kaufen.

Der nächste Tag war kurz.

Das heißt, er war natürlich nicht kürzer als alle anderen Tage auch.

Aber rückwirkend schrumpfte er in die vollständige Bedeutungslosigkeit.

Nicht dass dies schon die Ruhe vor dem Sturm gewesen wäre. Die kam erst später. Es ist nur so, dass wir uns im Nachhinein ungläubig und nur noch bruchstückhaft an diesen unwichtigen Tag erinnern, an dem wir dachten, alles ginge einfach weiter.

Milan beantwortete ein paar Mails und versuchte Sven klarzumachen, dass er nicht »dieser Tage mal« in Griesheim vorbeischauen und Chrissi den Bau der Hornboxen »verklickern« könne. Gegen halb zehn rief Dennis an, weil der tschechische Stuhlverleih seine Preise erhöht hatte.

Milan sagte, da kann ich nicht viel machen. Da könnte ich auch von Frankfurt aus nicht viel machen, aber von hier aus schon gar nicht. Von hier aus wird es nur teurer.

Dennis geriet in Panik und flehte Milan an, wenn schon nicht die Stühle, dann wenigstens einen Ersatzregisseur für Harvestehude zu organisieren, es müsse auch kein Profi und eigentlich überhaupt kein Regisseur sein, ein guter Techniker würde zur Not schon reichen, und ob Milan sich darum kümmern könnte, dass die Bühne pünktlich geliefert würde und jemand vor Ort sei, um sie abzunehmen.

Milan versprach, sich darum zu kümmern. Nachdem er aufgelegt hatte, fluchte er, tippte sich mit dem Finger an die Stirn und sagte, was denkt der sich eigentlich. Das Telefonieren kostet von hier aus ein Vermögen.

Das Telefonieren kostete etwas mehr als ein Vermögen, weil sich herausstellte, dass die Tonnenbühne, die Milan bestellt hatte, kurzfristig nicht zur Verfügung stand.

Nach einigem Hin und Her einigte man sich darauf, dass eine Contac ohne Aufpreis termingerecht geliefert werden könne, allerdings ohne Aufbau, dafür müsste Sunset die Bühnenarbeiter zusammentrommeln, das sollte sich doch machen lassen.

Bei der Gelegenheit rief Milan Jeremiah an.

Ja, wir waren gut angekommen, alles bestens.

Ja, Jeremiah konnte bei Sunset einspringen, ja, Bühnenarbeiter würde er auch zusammenkriegen. Und bei uns?

Ja, Pierre hatte uns alles gezeigt, auch das Wahnsinnsheimkino im Wohnzimmer, tolle Anlage. Ein netter Typ, Pierre, und noch dazu enger Freund von Brad Pitt und von Trentinjang, sagte Milan. Und natürlich im Rügbi-Verein.

Ich hörte, dass Jeremiah verhalten lachte.

Dann sagte er, man könne sich auf Pierre verlassen. Wenn mal was sei.

Was soll schon sein, sagte Milan. In den Pool springen wir heute Nachmittag.

Nein, kein Problem, ein paar Mitbewohner auf dem Dachboden, aber das wisse Jeremiah ja selbst.

Von den Zwischenfällen auf dem DIN-A4-Blatt oder von etwas Verdächtigem wie etwa seismischen Fahrzeugen sprachen sie nicht.

Milan sagte später, er hätte Jeremiah nicht danach fragen wollen, weil er das Gefühl gehabt hätte, wenn er nicht danach fragte, wäre es aus der Welt.

Jeremiah sagte später, dass er uns natürlich nichts Genaueres hätte sagen können, weil er ja selbst nicht gewusst hätte, ob überhaupt irgendetwas passiere, und selbst wenn er gewusst hätte, dass etwas passiere, hätte er auch nicht gewusst, was er uns hätte sagen können. Das Einzige, was er wusste, war, dass Bella Lunas Haus abgefackelt und sie selbst verschwunden war. Es war nur ihr kleines Wohnhaus abgefackelt, den anderen Gebäuden war nichts passiert, weil die Feuerwehr rechtzeitig da gewesen war, aber das Haus war hin, und Bella Luna war verschwunden, aber warum hätte er uns das erzählen sollen.

Wir wussten ja nicht mal, wer Bella Luna war. Die durchgestrichene Telefonnummer einer pleitegegangenen Pizzeria. Dachten wir. Wenn wir überhaupt etwas dachten. Und dass ein Unwetter angesagt war, wusste Jeremiah natürlich auch.

Kann sein, dass ein Unwetter bei euch rüberzieht, sagte er. Angekündigt haben sie's.

Wir machten am frühen Nachmittag unsere Einkäufe in dem riesigen Supermarkt zwanzig Kilometer entfernt, der offenbar darauf eingestellt war, dass alle Besucher der Region ununterbrochen Würstchen grillten und Bier tranken, aber vielleicht ist es auch so, dass alle Besucher einfach deshalb Würstchen grillen und Bier trinken, weil der Supermarkt ihnen nichts Nennenswertes außer Würstchen und Bier verkauft. Auf dem Weg dahin wechselten sich fliegende Obststände mit Hinweisen auf Reiterhöfe ab, am Fluss standen drei Hütten für den Fahrrad- und Kanuverleih mit mehreren Hundert Kanus, Kajaks und Fahrrädern davor sowie Schilder in Richtung der Campingplätze, Kletterwände und Imbissstände. Snack-Frites belges.

Milan sagte, das verbuchen wir unter Rätsel der Globalisierung, dass sie hier im Languedoc belgische Frittenbuden haben.

Auf dem Rückweg hielten wir in Uzès, tranken im Schatten von Heineken-Sonnenschirmen unter den Platanen am Boulevard einen Kaffee und bummelten danach durch die Seitenstraßen und -gässchen der kleinen Stadt.

Abseits des Boulevards und der Lavendelsäckchen- und Postkartengeschäfte entdeckten wir einen kleinen dunklen Handarbeitsladen, der offenbar aus dem letzten Jahrhundert übrig geblieben war. Bernadettes Petite Mercerie. Ein Glockenspiel bimmelte, als wir eintraten.

Die Besitzerin war schon sehr alt. Sie kam in Zeitlupe aus den Tiefen eines Hinterzimmers in den schlauchförmigen Verkaufsraum gehinkt, und als Milan grüßte, murmelte sie widerstrebend etwas, das wie »Schur, sjöhdame« und sehr missgelaunt klang, und ich dachte, wenn ich diesen Laden hätte und es dazu noch Sommer wäre, wäre ich vermutlich auch missgelaunt, weil die Saure-Gurken-Zeit schon spürbar ist, wenn man in Frankfurt oder New York mit der Branche zu tun hat und das meiste übers Netz abwickelt, aber hier hätte man den Laden vermutlich am besten gleich nach Weihnachten dichtmachen und im November wieder eröffnen können. Im Grunde sah er so aus, als hätte er gar nicht geöffnet.

Mir kam der Verdacht, dass die alte Frau hier wohnte.

Ich dachte, bestimmt wird sie von niemand behelligt, weil jeder weiß, dass sie hier in diesem Laden wohnt, der gar kein Laden ist. Wahrscheinlich will sie ihre Ruhe, und wir haben sie bei ihrer sommerlichen Siesta gestört.

Jetzt waren wir aber da, und ich erwog kurz, ob ich

sie nach dem Garn der japanischen Markenfirma für Anouks Lace-Anleitung fragen sollte, aber es war wirklich nur eine sekundenkurze Erwägung, weil es hier ganz eindeutig kein Garn von japanischen oder kanadischen oder sonstigen Markenfirmen gab; ich wendete mich also den Garnen zu, die es hier gab und die bis unter die Decke in die Regale gestopft waren, und nahm mir vor, Anouk am Abend davon zu berichten, dass die südfranzösische Provinz offenbar noch nie etwas von Wolle oder Leinen, geschweige denn von Ramie oder Stainless Steel gehört hatte, stell dir vor, die haben hier ein einziges Wort für alles, was man stricken kann, und das heißt Acryl. Acryl in den grauenhaftesten Zuständen und Farben.

Überheblichkeit ist was Großartiges, ungefähr so großartig wie Eitelkeit, und wenn nicht in den Tagen darauf die Erde unter unseren Füßen angefangen hätte zu schwanken, wäre mir meine eigene Arroganz vermutlich selbst entgangen, aber im Laufe des Sommers habe ich oft darüber nachgedacht, wie einfach es ist, sich überlegen zu fühlen, bloß weil man Ramie von Paketschnur unterscheiden kann und ein PayPal-Konto hat.

Man fährt von Frankfurt oder New York oder von sonst wo einfach ins Languedoc und denkt, man versteht die Welt, weil in Fontarèche im Kühlschrank ein DIN-A4-Blatt mit einem Wi-Fi-Code liegt. Mit dem Wi-Fi-Code kommt man spielend ins Netz, und sobald man im Netz ist, fühlt man sich wie zu Hause, schaut sich gemütlich seine Mails an oder guckt nach, was Anouk so treibt, bei welcher Gelegenheit man amüsiert feststellt, dass die Yarn-Bomb des Ethnologen aus Anchorage, Alaska, unter Anouks Facebook-Freunden Begeisterung entfacht hat, einige haben sich die Strickanleitung runtergeladen und Anouk ihre farbenfrohen Bomben geschickt.

Johnnys Facebook-Seite dagegen ist eher minimalistisch gehalten, wie sich das für einen Environment-Artist gehört; er tauscht sich mit Leuten über die Cry-Engine 3 SDK aus, die es offenbar als Freeware gibt und die er besser findet als die UDK, und wenn es mich interessiert, kann ich hier in Südfrankreich ebenso wie in Frankfurt rasch nachschauen, was diese Freeware kann, und da ich Johnny kenne, weiß ich, dass sie mit ein paar Mausklicks eine englische Landschaft auf den Bildschirm bringen kann, die aussieht, als hätte William Turner sie gemalt, eine malerische englische Turner-Landschaft mit Themse darin; sehr leicht zu erkennen, bis Johnny über die Themse mal rasch eine Harry-Potter-Brücke zieht, die nicht zu William Turner und auch nicht zur Themse gehört, sondern aus irgendwo in den Highlands stammt, und dann lässt er über diese schottische Brücke den Jacobite Steam Train donnern und natürlich mitten auf der Brücke entgleisen: Sturm oder Angriff der Außerirdischen oder ein seismischer Zwischenfall, und mit seinen Facebook-

Freunden unterhält er sich darüber, ob die Entgleisung besser aussieht, wenn man sie mit einer CryEngine 3 SDK oder mit der UDK bewerkstelligt, und in Uzès spaziere ich in Bernadettes Petite Mercerie, um ein Markengarn zu kaufen, weil ich das Garn in Frankfurt vergessen habe, das mir Anouk aus New York geschickt hat, weil es seinerseits aus Japan oder Kanada an Anneli Schachtschneider nach New York geschickt worden ist, die damit nichts anfangen kann und es als Abschreibungsgarn zu dem anderen Garn packt, das sie alle paar Monate wegschmeißt, und dann plötzlich gibt es dieses Markengarn in Uzès nicht zu kaufen, sondern nur minderwertiges Acryl, und nach einem Blick auf den beachtlichen Plastikvorrat, der hier eingelagert ist und mich an die Zeiten der seligen »Constanze« erinnert, weiß ich augenblicklich, dass ich in einem Teil der Welt gelandet bin, der womöglich auf dem Boulevard für die Urlaubsmenschen Lavendelsäckchen und Postkarten und im Supermarkt Würstchen und Bier bereitstellt, ansonsten aber, sobald man eine der kleinen Seitengassen betritt, erkennen lässt, dass er nicht ganz auf der Höhe der Zeit ist, womöglich ein bisschen gestrig, jedenfalls minderbemittelt.

In Wirklichkeit habe ich gar nichts verstanden.

Das ist mir aber erst später klar geworden, als ich darauf kam, dass wir alle herumlaufen und denken, wir wären aufgeklärt oder auch nur informiert.

In Wirklichkeit sind wir beides nicht, obwohl uns andauernd versichert wird, wir seien nicht nur aufgeklärt und informiert, sondern längst überaufgeklärt und jedenfalls überinformiert, aber das stimmt nicht.

Irgendwann wurde mir klar, dass ich gar nichts verstehe außer dem Frankfurt oder dem Berlin oder sonstwelchen Orten, die ich zufällig in überschaubaren Ausschnitten und von der Straßenseite her kenne, und wenn ich denke, dass ich aufgeklärt und informiert bin, dann liege ich weit daneben, denn von der Welt jenseits dieser Ausschnitte verstehe ich nur die Teile, die ich im Fernsehen sehe und schon deshalb nicht kenne, weil ich sie im Fernsehen sehe.

Arte und Phoenix passen gut auf, dass sie nur in die Teile der Welt reingehen, wo es auch Folklore zu drehen gibt, Lavendelsäckchen, Matroschkas, bei lebenden Schildkröten bitte den Artenschutz beachten; also wird man automatisch hochnäsig davon, wenn man die Berichte dann sieht, weil die Berichte schließlich dazu da sind, dass wir verstehen, die Welt ist ein Marktplatz, und anderswo als bei uns, die wir in Frankfurt, Berlin und vor allem in Deutschland leben und anderswo Urlaub machen, ist er ein Global Handmade and Vintage Marketplace, und die armen minderbemittelten Menschen in den Gegenden mit der Folklore sind zum Bemitleiden traurig dran, aber gut drauf, weil das das Wesen von Folklore ist, fröhlich und gut drauf, aber eigentlich trotzdem zu bedauern.

Ach Gott, wie gestrig, ach Gott, wie bescheiden.

Ich verstand jedenfalls gar nichts. Vintage.

Bernadette merkte zum Glück nichts, weil ich sie nicht nach Markengarnen fragte, sondern vor lauter Herablassung ganz still und andächtig den gigantischen Plastikvorrat studierte, der hier eingelagert war in diesem sonderbaren kleinen Chemiefaser-Museum.

Und an diesem Abend schrieb ich auch Anouk nichts von unserem Ausflug, weil sich bereits im Westen das angekündigte Wetter zusammenbraute und Milan und ich das dunkle Spektakel bewunderten, während wir auf der Terrasse Würstchen grillten und kein Bier dazu tranken, weil wir uns im Supermarkt angesichts der ungeheuren Mengen an Bier daran erinnert hatten, dass französisches Bier nicht schmeckt und die deutschen Brauereien zu blöd gewesen waren, sich rechtzeitig darauf einzustellen, dass es den Global Marketplace geben würde, und als er dann da war, hatten sie ihn verpennt, was uns indes an diesem Abend überhaupt nicht störte, weil französisches Bier zwar nicht schmeckt, dafür schmeckt der französische Wein.

Als das Wetter dann kam, gehörten zu unseren Vorräten zwei Plastikbehälter mit je fünf Litern Mineralwasser und ein paar Flaschen Wein aus dem örtlichen Anbau. Château de Fontarèche.

Wie Pierre es vorausgesagt hatte, war keine Maus in die Fallen gegangen, aber wir wussten an diesem Abend, dass wir Mäuse im Haus hatten, und es waren offenbar nicht nur kleine, sondern auch sehr gescheite Mäuse. Der Käse war weggefressen, und wir legten neue Käserinden hinein.

Das Rattengift auf dem Dachboden war entweder nicht weggefressen worden, oder es wirkte nicht so kurzfristig, jedenfalls ging das nächtliche Kreuz-und-Quer-Gerenne wieder los, nachdem Milan gegen elf Uhr ein Mail von Dennis bekommen hatte, weil die Knott-Immobilien Consulting nun doch lieber ein Buffet für ihre sechshundert Gäste hätte.

Milan sagte, mir würde was fehlen, wenn ich nicht jeden Tag eine Sunset-Katastrophe vor dem Schlafengehen zu regeln hätte, und rief Dennis an.

Pass auf, hörte ich ihn sagen, wir haben mit dem Catering einen Vertrag.

Ich war im Badezimmer, putzte mir die Zähne, und über uns fingen die Ratten zu trappeln an. Beim Zähneputzen fiel mir ein, dass Pierre gesagt hatte, das Wasser hier können Sie trinken. Besonders der Zusatz fiel mir ein: Aber ich würd's trotzdem nicht.

Ich trink's ja nicht. Ich putz mir ja nur die Zähne, dachte ich und beschloss, mir ab dem nächsten Morgen die Zähne mit Mineralwasser zu putzen, wie wir das gemacht hatten, als wir in Tunesien waren, weil auf den Seiten des Auswärtigen Amtes gestanden hatte, dass man es so machen sollte, dabei waren wir überhaupt nur zufällig auf die Seite des Auswärtigen Amtes geraten, weil wir nicht wussten, ob wir eine Impfung oder ein Visum oder was überhaupt wir für Tunesien brauchen würden, aber das war noch in den Zeiten von Ben Ali, also brauchten wir wegen des Freihandelsabkommens kein Visum und keine Impfung, obwohl inzwischen der Islamismus ausgebrochen war und es kurz vor unserer Reise den Anschlag auf die Synagoge gegeben hatte. Deshalb war die Reise auch bezahlbar gewesen, allerdings warnte das Auswärtige Amt vor Islamisten und dem Leitungswasser.

Pass auf, sagte Milan mit seiner geduldigsten Stimme. Wir haben mit der Knott Consulting einen Vertrag, da steht ein viergängiges Menü drin. Und wir haben mit dem Caterer einen Vertrag, da steht auch ein viergängiges Menü drin.

Nach einer Pause sagte er, klar weiß ich das: Wir haben uns auf Italienisch geeinigt. Antipasti misti geht immer, dann Ravioli mit Ricotta und Spinat, Hauptspeise …

Ich hörte nicht, was es für Knotts Gäste als Hauptspeise geben sollte, weil in dem Moment das Gewitter begann.

Es fing mit einem Donner an.

Bei allen Gewittern, die ich bis dahin kannte, fingen die Donner immer weit entfernt an zu grollen und kamen dann mit dem Wetter allmählich näher, aber dieses hier war anders. Entweder hatten wir die entfernten Donner nicht gehört, oder dieses Gewitter fing einfach hier an, direkt über uns, beziehungsweise über den Ratten über uns, jedenfalls war der Donner genau hier, und er krachte über unseren Köpfen und um uns herum so laut, dass ich dachte, das Haus fällt zusammen, dabei weiß ich natürlich, dass Häuser weder von Milans PA-Boxen zusammenfallen noch von Donner.

Einen Blitz hatte ich nicht gesehen, weil es im Bad nur ein winziges Fenster gab, und Milan hatte auch keinen Blitz gesehen, weil er im Schlafzimmer telefonierte, in dem die Vorhänge zugezogen waren.

Nachdem der Donner sich ausgegrollt hatte, hörte ich, dass die Vegetarier als Hauptspeise eine Gemüsetimbale bekommen sollten.

Bevor Milan zum Dessert kommen konnte, schien Dennis ihn unterbrochen zu haben. Ich gurgelte also mit dem unvollendeten Menü im Badezimmer, und während ich gurgelte, dachte ich, dass es als Dessert bei der Knott Consulting wahrscheinlich Pannacotta mit Feigensoße geben würde oder Tiramisu, jedenfalls gibt es das bei dem Caterer, mit dem Sunset zusammenarbeitet, eigentlich immer, wenn er Italienisch kocht, und eigentlich kocht er fast immer Italienisch. Italienisch oder Landlust light. Der Caterer würde gern mal was anderes anbieten, aber die meisten Kunden wollen Italienisch oder die leichte Landlust, und wenn sie Italienisch wollen, nehmen sie als Nachtisch Pannacotta oder Tiramisu, egal ob fürs Buffet oder als Teil des Menüs.

Es fing von eben auf jetzt an zu regnen, vielmehr von oben herab senkrecht aus Kübeln zu schütten.

Die Pause am Telefon war ziemlich lang.

Irgendwann kam Milan ins Badezimmer und sagte, Netz weg.

Wo gibt's denn so was, sagte ich.

Den anschließenden Blitz haben wir wieder nicht gesehen, aber er musste irgendwo in der Nähe eingeschlagen haben, weil danach der Strom auch weg war.

Den Ratten machte das Gewitter überhaupt nichts aus, sie trappelten einfach weiter, und im Dunkeln klang das Trappeln plötzlich viel lebhafter und näher und vor allem lauter als bei Licht, obwohl sie ja so oder so nur knapp einen Meter von unseren Köpfen entfernt waren, aber solange es hell gewesen war, kam es uns weiter entfernt vor.

Es war dunkel.

Nicht so wie zu Hause.

Wenn man in der Stadt das Licht ausmacht, scheint von draußen alles Mögliche durchs Fenster herein, weil gegenüber die Bildschirme laufen und unten Autos fahren und die Straßenbeleuchtung sowieso leuchtet. Als die Straßenbeleuchtung einmal für eine halbe Stunde ausgefallen war, haben wir es gar nicht gemerkt und nur hinterher gelesen, dass die Signale für die Frankfurter Stadtbeleuchtung aus München kommen, und offenbar hatte jemand in München vergessen, auf den Knopf zu drücken, der in Frankfurt das Licht anknipst.

Hier war das Licht einfach weg. Ausgeknipst und schwarz.

Kannst du dich erinnern, wie wir mit den Kindern immer Dunkelverstecken gespielt haben, sagte Milan.

Ich sagte, und wie, aber so schwarz wie jetzt haben wir es nie hingekriegt.

Dann sagte ich, du kannst doch Französisch. Hat Pierre vielleicht was von einer Taschenlampe oder von Kerzen gesagt?

Milan sagte, ausgerechnet davon hat er nicht gesprochen.

Wir tasteten uns in die Küche und waren schon bei den Schubladen, in denen womöglich Streichhölzer liegen könnten, als das Licht wieder anging, und wir fanden zwar ein kleines Streichholzbriefchen, aber keine Taschenlampe und keine Kerzen.

Und an diesem Abend jedenfalls fing der Sommer der Wildschweine an. Der Sturm setzte kurz nach Mitternacht ein, er kam aus Nordwesten von den Cevennen herab, fegte über unsere Köpfe weg in Richtung Südosten, dass es nur so krachte und tobte, und eine halbe Stunde später kam das Gewitter aus dieser Richtung zurück.

Wir standen am Schlafzimmerfenster und sahen uns das Spektakel an.

Milan sagte, ich glaube, das Wetter schafft es nicht über die Rhône.

Das Wetter in Frankfurt kommt meistens auch aus Nordwesten den Taunus herab; jedenfalls war es früher so gewesen, als es noch nicht verrückt gespielt hatte, dann zog es Richtung Main, und wenn es nicht über den Fluss kam, drehte es um und kam zurück.

Dieses Gewitter hier hing zwischen der Rhône und den Cevennen fest, es drehte immer wieder um und rauschte alle halbe Stunde direkt über unsere Köpfe. Unvermindert. Gegen zwei Uhr fiel der Strom endgültig aus, und gegen halb drei hatten wir das Gefühl, dass wenigstens der Regen nachließe, aber vielleicht bildeten wir uns das auch nur ein, weil wir müde waren, jedenfalls gingen wir mit dem Rauschen ins Bett, und als wir am Morgen aufwachten, war es dunkel und schüttete vom Himmel runter.

Kein Netz, kein Strom. Nur das Rauschen.

Den ganzen Tag lang.

Vielleicht hätte ich über das Unwetter meinen Vorsatz vergessen, mir die Zähne mit Mineralwasser zu putzen, aber das Zeug, das an dem Morgen aus der Leitung gluckste und eruptive Geräusche dabei machte, war schlammfarben und stank nach Schwefel oder Schwefelwasserstoff oder was weiß ich.

Ein Versuch, in die Stadt zu fahren, erübrigte sich, weil der kleine Holperweg, der von Jeremiahs Haus zur Straße führte, weg war. An seiner Stelle war über Nacht ein mittlerer Bach mit etlichen Stromschnellen entstanden, und mitten in diesem Bach sah unser umspültes Auto sonderbar deplatziert aus, vor allem gänzlich unerreichbar.

Vielleicht haben Sie sich in den vergangenen Jahren auch manchmal gefragt, warum die Nachrichtensendungen praktisch täglich anstelle von Nachrichten die neuesten Wetterkatastrophen bringen, die Ihnen ja eigentlich egal sein könnten, weil Unwetter nur für die Menschen eine Katastrophe sind, die darin ihr Hab und Gut verlieren, und für die Pressesprecher der jeweiligen Regierungen sind sie Routine mit der Formel von der raschen unbürokratischen Hilfe, die dann nicht eintrifft, wenn das Ganze vorbei ist und das betroffene Land neu aufgeteilt wird.

Ich jedenfalls habe mich manchmal gewundert, welche tiefere Bedeutung es für die Bewohner Mitteleuropas haben könnte, dass ein verfrühter Wintereinbruch in Arkansas ein gewaltiges Chaos angerichtet hat oder dass der tropische Wirbelsturm Irene sich über dem Pazifik zusammenbraut und aller Wahrscheinlichkeit nach eines der anliegenden Länder heimsuchen wird, möglicherweise in Form eines Hurrikans oder Taifuns oder, wie Experten annehmen, als Zyklon, jedenfalls sind die Bewohner dieser anliegenden Länder in den Nachrichten bei der ersten Meldung immer gerade dabei, ihre bescheidenen Hütten und Bretterverschläge gegen die Naturgewalten notdürftig zu vernageln, und Sie oder ich oder jedermann, der das sieht, braucht kein Experte zu sein, um zu sehen, dass solcherart für die Nachrichten vernagelte, bescheiden und unsachgemäß errichtete Hütten keinerlei bautechnischen Standards entsprechen und folglich nicht einmal einem lauen Lüftchen standhalten können, geschweige denn einer Naturgewalt, und genau das wird sich dann in einer der nächsten Sendungen auch herausgestellt haben, in der davon berichtet wird, wie der Hurrikan oder Taifun oder Zyklon alles plattgemacht hat, und ab dann wird von den Krankheiten berichtet, die diese armen Menschen heimsuchen, nachdem sie jetzt keine Hütten mehr haben und auf Spenden aus aller Welt angewiesen sind, und am schlimmsten trifft es immer die Kinder.

Ich jedenfalls habe mich ziemlich oft gefragt, warum es kaum Nachrichten mehr gibt, stattdessen immer und immer mehr tragisches Wetter. Manchmal ist das natürlich auch komisch: Da schicken weltweit die Fernsehsender haufenweise Reporter in die Gegenden, in denen die Leute ihre Hütten und Bretterverschläge vernageln. Die globalen Reportermassen stehen also am Ufer des Pazifik, berichten von den Vorbereitungen auf das pazifische Geschehen; manchmal müssen sie tagelang warten, bis in ihre puscheligen Mikrofone endlich Bewegung kommt; bis sie endlich anfangen, im aufkommenden Wind puschelig herumzuflattern, und die Tonqualität allmählich anfängt, zu rauschen und brüchig zu werden, damit wir auf die kommende Tragödie gefasst sind, und dann kann es passieren, dass so ein Sturmtief einfach abbaut und sich trotz aller Expertenvorhersagen keinesfalls zum Hurrikan, Zyklon, Metropolen bedrohenden Taifun entwickelt, sondern höchst banal abflaut, von akuter Impotenz befallen wird, der ganze Medienvorgang wird peinlicherweise vor dem weltweiten Höhepunkt wegen Erschlaffung des Protagonisten abgeblasen, die puscheligen Mikrofone sind zu keinem schadhaften Krächzen mehr zu bewegen, sondern geben glasklar bekannt, dass jetzt die vernagelten Hütten und Bretterverschläge immer noch stehen und weiter bewohnt werden können, das alles ist natürlich ein Versehen und dem Sturmtief persönlich anzulasten, das sich partout nicht zu einem anständigen Tsunami mit massenhaft Toten und Verletzten, darunter auch Deutschen, entwickeln wollte, nicht mal die Kinder trifft es wie immer am schlimmsten.

Im Laufe des Sturmtages in Fontarèche hat Milan sich plötzlich erinnert, im Schuppen neben dem Rattengift etwas gesehen zu haben, das ein Generator gewesen sein könnte, und als wir in den Schuppen gewatet sind, war es ein Generator, in dessen Griff Jeremiah sehr ordentlich ein Verlängerungskabel geklemmt hatte, und neben dem Generator stand ein Kanister Diesel, und schließlich stand der Generator im Sturm vor dem Wohnzimmerfenster draußen, und Milan und ich saßen im Haus, hatten Licht und dachten darüber nach, warum apokalyptische Wettermeldungen so interessant zu sein scheinen, dass sie in keiner Nachrichtensendung mehr fehlen dürfen, und irgendwann am Nachmittag, als es immer noch nicht aufgehört hatte zu regnen, sagte Milan: Eigentlich ist so ein Wetter doch ziemlich langweilig. Es blitzt und donnert und schüttet und wird nicht hell.

Nicht dass Milan und ich uns gelangweilt hätten. Wir langweilen uns nie, sogar als Gregor und Maja in der Bretagne mit ihrer Unausstehlichkeit und Langeweile das ganze Ferienhaus angefüllt hatten, aber natürlich hatte Milan recht: So ein Wetter ist ziemlich langweilig, und genau das ist vermutlich der Witz an den Nachrichten-Katastrophen-Wettern, weil sie natürlich manchmal mit Stürmen, ein andermal mit Überschwemmungen oder Waldbränden und gelegentlich mit Vulkanausbrüchen operieren, die alle irgendwie gleich aussehen und daher, genau genommen, für alle, die nicht drinstecken, furchtbar langweilig sind, aber am schlimmsten trifft es wie immer die Kinder, die es allerdings auch in Flüchtlingslagern schlimm trifft.

Allerdings unterscheiden sich die syrischen oder somalischen Kinder aus den Flüchtlingslagern sehr von den Wetterkatastrophen-Kindern; die Flüchtlingslager-Kinder haben immer dicke, schwarze Fliegen in den Augen, weil es in den Lagern oft zu eng ist und unhygienisch zugeht. Dort gibt es im Übrigen nicht einmal normwidrige Häuser oder Bretterverschläge, die keinem Unwetter standhalten, sondern nur Pappe und Plastikplanen, und vor allem gibt es kaum Reporter, die davon berichten könnten, dass in Dadaab eine halbe Million Menschen auf sehr engem Raum leben, weil Arte und Phoenix in Länder und Lager nicht gern reingehen, in denen es keine Folklore gibt.

Zufällig und wegen Anouk ist mir in Erinnerung, dass dort eine halbe Million Menschen auf einem Raum von fünfzig Quadratkilometern leben, und wenn Sie ehrlich sind: Fällt Ihnen jetzt gerade ein, wo Dadaab liegt?

Dadaab liegt in Ostafrika, genauer gesagt, in Kenia.

Und ich hätte mir den Namen Dadaab genauso wenig gemerkt wie Sie vermutlich, wenn nicht Johnny zu der Zeit Deborah kennengelernt hätte. Deborah arbeitete damals bei einer Blockbuster-Produktion in der Maske und ist überhaupt die originellste Maskenbildnerin, die es gibt. Bei Blockbustern heißt es natürlich nicht Maskenbildner, sondern Make-up-Artist, und Johnny hat sich auf der Stelle in sie und ihre wunderbaren Monstermasken-Designs verliebt, sie hat gearbeitet wie eine Irre, um aus den Schauspielern gruselige Homunkuli oder Aliens zu machen, und nach der Produktion war sie fix und alle und wollte unbedingt in Urlaub fahren. Johnny war nur schwer vom Computer wegzubringen gewesen, bevor er Debbie kannte, und egal wo sein Computer stand, einen Pizzaservice gibt es immer und überall. Im IT-Geschäft sitzen lauter so Verrückte, und manchmal werden sie nebenbei auch noch reich. Johnny hatte nicht unbedingt vor, reich zu werden, das wäre ihm etwas zu platt gewesen, außerdem ist er ein Träumer. Die längste Zeit hat er in seiner eigenen 3-D-Welt verbracht, die er sich auf den Bildschirm zaubert, aber jetzt kannte er Debbie, und wir hatten das Gefühl, vielleicht finge er jetzt ein wirkliches Leben an, allerdings hatte er in Sachen Urlaub so wenig Erfahrung wie seine Eltern. Uns konnten sie also nicht fragen, aber irgendwer von den Blockbuster-Leuten erzählte Debbie, dass man traumhaften Urlaub am Indischen Ozean machen kann. Es fielen Vokabeln wie Coconut Village, Sea Lodge, Beach Club undsoweiter, zu denen gelegentlich Textagenturen Content-Aufträge vergeben; es gibt recht viele Content-Aufträge aus der Tourismusbranche, in denen sechsmal das Keyword Urlaub und dreimal Sea Lodge aufzutauchen hat, und infolge dieser Contents träumen dann sehr viele Leute von solchen Vokabeln, vom Urlaub am Indischen Ozean und damit auch von Kenia. Nicht von dem Kenia, in dem Dadaab liegt und das nicht mit Urlaub und daher auch nicht mit Wettervorhersagen kompatibel ist, sondern von dem anderen Kenia, ein bisschen weiter südlich, von diesen angesagten Content-Keywords am Meer. Dadaab liegt zweihundert Kilometer weg vom Meer mit den Traumstränden und den Nationalparks mit den Safaris, wobei das Auswärtige Amt inzwischen etwas vor den Safaris warnt, ebenso wie vor der Piraterie, dem Scheckkartenbetrug, terroristischen Selbstmordattentaten und der Malaria. Aber das ist eine andere Sache, weil Milan und ich, wenn wir Zeit haben, sehr leicht von einem Thema zu einem anderen und zu noch einem weiteren Thema kommen, deshalb langweilen wir uns auch nie, nur wissen wir hinterher nicht mehr genau, wie wir da hingekommen sind, aber weil wir uns immer von einem Thema zum anderen durchs Leben erzählen, langweilen wir uns eben nie. Nur ist das Erzählen in der letzten Zeit etwas aus der Mode gekommen, so ähnlich wie das Selbermachen, deshalb machen wir es meistens nur noch, wenn wir allein sind oder mit den Kindern, die es eigentlich in ihren Leben auch nicht mehr machen, aber weil wir es früher mit ihnen gemacht haben, sind sie noch daran gewöhnt.

Jedenfalls sind wir an dem Unwettertag in Fontarèche beim Erzählen nicht in irgendwelche Sea Lodges oder Beach Clubs gekommen, sondern bloß bis zu den n-tv-Nachrichten, in denen die Flüchtlingskinder immer dicke, schwarze Fliegen in den Augen haben, und weil Debbie zufällig zur gleichen Zeit in Kenia Urlaub machen wollte, als die Berichte über den Hunger in Afrika und das superlative Flüchtlingslager in Dadaab kamen, haben wir uns dieses Flüchtlingslager eben gemerkt. Johnny und Debbie sind dann übrigens nicht nach Kenia gefahren, sondern an den Lake District, weil das näher an Manchester liegt und preiswerter war.

Und auch ein wenig deshalb, weil ihnen nicht nach irgendwelchen angesagten Beach Clubs war, wenn diese Beach Clubs oder das Coconut Village nur etwa so weit von Dadaab entfernt gewesen wären wie der Lake District von Manchester.

Und weil Anouk Mathematik kann.

Als ungefähr das dritte oder vierte Mal im Fernsehen von Dadaab berichtet wurde und Johnny und Debbie gerade darüber nachdachten, nach Kenia zu fahren, sagte Anouk, habt ihr euch das eigentlich mal durchgerechnet?

Was, sagte Johnny.

Es war eigentlich eine ganz gute Zeit, als wir vor ein paar Jahren noch zusammen die Nachrichten gesehen haben, weil wir manchmal alle vier bei den Nachrichten und hinterher von einem Thema zum anderen kamen, und an dem Abend, als Dadaab in den Nachrichten war und Anouk sich das durchgerechnet hatte, war Johnny vermutlich die Keniareise verhagelt, aber er hat es Anouk nicht übel genommen, weil sie ja nichts dafür konnte. Sie hatte es sich eben nur durchgerechnet und sagte, wenn das stimmt, was die sagen, und wenn also wirklich eine halbe Million Menschen auf fünfzig Quadratkilometern leben, dann wüsste ich gern mal, wie das gehen soll.

Milan meinte sinngemäß, dass die Welt ein barbarischer Ort sei, aber Anouk schüttelte den Kopf und sagte, das meine ich nicht. Ich meine was anderes.

Und, sagte Johnny, dem Anouk manchmal zu zweidimensional ist. Johnny denkt phantastisch und plastisch, und Anouk denkt ihm gelegentlich etwas zu platt und profan.

Anouk sagte auch tatsächlich sehr profan, ich frag mich einfach bloß, wie das gehen soll. Rechne das doch mal durch und schau, was da rauskommt.

Johnny wollte zum Computer, aber Anouk sagte, dafür brauchst du doch keinen Computer, das wirst du wohl noch so hinkriegen.

Also holte Johnny ein Blatt Papier und schrieb sich die fünfhunderttausend Menschen und die Quadratkilometer hin. Dann rechnete er die Kilometer um.

Das sind fünfzigmillion Quadratmeter, sagte er und strich von den beiden Zahlen je vier Nullen.

Macht fünfzig Menschen auf fünftausend Quadratmeter, sagte er.

Macht einen Menschen auf einhundert Quadratmeter, sagte Anouk. Das ist vierzigmal so viel wie in Deutschland, und da frage ich mich eben, wie das gehen soll.

Ja, sagte Johnny, der jetzt genau verstand, was seine Schwester meinte, und Milan und ich verstanden es auch, und so fragten wir uns an dem Abend alle vier, wie das gehen sollte.

Zu der Zeit war Anouk in ihrer Pinguin-Rettungs-Phase, und wenn sie von einer ihrer Ravelry-Designerinnen eine Anleitung und das dazugehörige Garn zum Teststricken bekam, schaute sie bei PETA Deutschland nach, ob das Garn möglicherweise aus dem Fell eines gequälten Tiers stammen könnte, und Anouk kann Mathematik und liebt Zahlen, deshalb wunderten wir uns nicht, dass sie jetzt wie aus der Pistole geschossen sagte: Jedes Huhn kriegt gesetzlich achthundert Quadratzentimeter, und schon das finde ich eine Sauerei.

Dann sagte sie feierlich: Ich könnte die Wände hochgehen, wenn alle immer so kokett herumsäuseln.

Sie verstellte ihre Stimme und äffte nach, wie dämlich alle immer herumsäuselten: Mathe ist einfach nicht mein Ding.

Und wieder mit ihrer Anoukstimme sagte sie, und dann finden sie sich selbst so toll und lassen sich dafür feiern, dass sie nicht von A nach B geradeaus denken können und in Logik die totalen Nullen sind.

Besonders die Mädchen, sagte sie trotzig, und wir nahmen daher stark an, dass unsere Tochter Liebeskummer hatte.

Ich sagte vorsichtig, und jetzt hat Jakob sich in eine von diesen Mathenullen verknallt, oder?

Der kann mich mal, sagte Anouk.

Jakob verliebte sich regelmäßig in irgendwelche Nullen, und Milan sagte manchmal, dass er es äußerst heikel finde, wenn Jakob sich nach inzwischen reichlich Nullen und massenhaften Fehlversuchen irgendwann nach etlichen Jahren in Anouk verlieben würde.

Dann steht sie ganz schön blöd da, sagte er, und im Grunde waren wir beide erleichtert, dass Anouk nach dem Abitur zu Anneli Schachtschneider nach New York ging, weil sie Jakob sonst nicht aus dem Kopf gekriegt hätte, obwohl es natürlich keine sehr gute Idee gewesen war, bei Anneli ein Praktikum zu machen.

An unserem zweiten Tag in Fontarèche wussten wir natürlich längst, dass es keine gute Idee gewesen war, aber darüber sprachen wir nicht, weil wir darüber nachdachten, warum vorzeitige Wintereinbrüche in Arkansas und überhaupt die weltweiten Unwetter andauernd in den Nachrichten gebracht werden, wo doch Unwetter etwas sehr Langweiliges sind, sogar dann, wenn man infolge des Wetters gerade selbst keinen Strom und kein Netz hat, aber immerhin hatten wir Glück gehabt und den Generator im Schuppen gefunden. Trotzdem lief natürlich der Kühlschrank nicht, und irgendwann ist so ein Stromausfall dann ein Problem, weil die Milch umkippt und die Supermarktwürstchen nicht ewig haltbar sind. Bier hatten wir zum Glück keines, das lauwarm hätte werden können.

Dem Château Fontarèche machte ein bisschen Temperatur nichts aus, und schließlich beschlossen wir unseren zweiten Ferientag schon am späten Nachmittag wegen andauernden Unwetters bei Blitz und Donner mit dem Rotwein unter unserer luxuriösen französischen Doppeldecke, nachdem Milan gesagt hatte: Ich glaube, ich weiß, warum sie diese Unwetter in den Nachrichten bringen. Die sind so langweilig, dass du dagegen abstumpfst. Immer dieselben Bilder mit irgendwelchen Namen und Zahlen, die du gar nicht erst hörst oder, wenn doch, auf der Stelle wieder vergisst.

Und dazu noch Naturkatastrophen, sagte ich.

Was man so Natur nennt, sagte Milan. Und dann haben sie keinen tieferen Grund. Das ist fast noch besser als die Salafisten, weil sie nicht mal eine Geschichte haben. Du kannst nichts darüber sagen, weil's immer dasselbe ist, und am meisten leiden die Kinder.

Mir fiel ein, dass die Salafisten eigentlich auch keine Vorgeschichte hatten, jedenfalls nicht für Milan und mich, weil wir beide niemals in unserem Leben von Salafisten gehört hatten, als sie eines Tages urplötzlich wie ein Tsunami in den Nachrichten aufgetaucht waren, nachdem wir uns halbwegs an die Islamisten und al-Qaida gewöhnt hatten, obwohl natürlich, auch wenn sich alle daran gewöhnt hatten, nach dem islamistischen Anschlag auf die Synagoge erst einmal niemand mehr nach Tunesien fuhr, weil es da viele Tote gegeben hatte, darunter vierzehn Deutsche.

Während unseres ganzen Lebens vorher hat es aber weder vor noch nach dem 11. September Salafisten oder Tsunamis auch nur als Wörter gegeben.

Das hat sicher damit zu tun, dass aus Texten Contents und aus Wörtern Keywords geworden sind, und bei Keywords ist es ziemlich klar, dass die immer mal wechseln müssen, das folgt aus den Gesetzen des Affiliate-Marketing und ist ziemlich logisch, weil jedes

Keyword einen CPC hat. CPC heißt Cost-per-Click, und es ist klar, dass Leute auf Werbung mit guten Keywords eher klicken als auf solche mit schlechten, und wenn also bis eben noch niemand das Wort Salafist kannte, hat natürlich nie jemand darauf geklickt, aber plötzlich kommt das Wort in den Nachrichten andauernd vor, und dann ist es naheliegend, dass irgendwelche Zuschauer mal auf Salafist klicken, um zu sehen, was das ist, und schon steigt der CPC dieses Keywords von null auf zwei Dollar oder noch mehr, und das ist bei den neuen globalen Keywörtern ziemlich viel Geld, weil sie eben global sind. Wir essen schon seit Jahren keine Körner mehr, sondern Cerealien, und das ist fürs Marketing praktisch, außerdem haben die Börsenhändler verständlicherweise keine Lust, unter verschiedenen Namen auf dieselbe Sache zu spekulieren.

Das mit dem CPC kriegt man nicht unbedingt erzählt, wenn man für eine Content-Agentur schreibt, also habe ich es die längste Zeit nicht gewusst. Johnny hat mir den CPC erklärt, als ich meine eigene Agentur aufgemacht habe, und natürlich wusste er auch, dass »text und textil« Keyword-mäßig geradezu unterirdisch und der glatte unternehmerische Selbstmord wäre.

Im Grunde geht es darum, dass man sich möglichst granatenmäßige Keywords einfallen lassen muss oder am besten gleich welche neu erfinden, wenn man was verkaufen will, egal ob das ein Joghurt oder eine Nachricht oder eine kollateralisierte Schuldenobligation ist, mit der man dann, wenn man davon reichlich verscherbelt hat, wunderbar die nächste Weltwirtschaftskrise auslösen kann, weshalb es besser ist, diese Obligation nicht Joghurt zu nennen, sondern Schlüsselwörter dafür zu erfinden, die beim besten Willen niemand kapiert, weil es sie vorher nicht gegeben hat, ebenso wenig wie den Time-Turner bei Harry Potter, den es nie gab und auch nicht geben kann, aber das hat mit den Hauptsätzen der Thermodynamik zu tun, während die kollateralisierten Schuldenobligationen mehr ins logistische Weltkrisenfachgebiet fallen, das natürlich im weiteren Sinne auch eine entropische Sache ist, aber dazu noch Betrug.

Diese Keywords werden dann pro Content sechsmal eingesetzt, auch wenn anfangs die Nachrichtensprecher manchmal echte Mühe mit der Aussprache von Wörtern haben, die es kurz zuvor noch nicht gab, aber sobald so ein Keyword erst mal durch ist und einem glatt von der Zunge geht, steigt sein CPC blitzartig von null auf hundert. Nur leider flaut er auch ziemlich rasch wieder ab, weil irgendwann keiner mehr Lust hat, in jeder Nachricht dieselben Wörter zu hören, weshalb es seit dem Internetmarketing eben eine ganze Menge neuer Keywords außer den Salafisten und dem Tsunami gibt, die aus dem Nichts erstehen und auch dahin wieder verschwinden, sobald ihr CPC nach der Werbekampagne abgesackt ist.

Und in den Schulen lernen die Kinder weiter, dass

möglichst kein Wort auf einer Seite im Aufsatz doppelt vorkommen soll, während sie weder die drei Hauptsätze der Thermodynamik lernen noch jemand ihnen erklärt, dass es schon lange nicht mehr um Geschichten mit Wörtern, sondern längst um Contents mit Keywords geht.

Apropos Salafisten, sagte ich irgendwann, als wir im Dunkeln unter unserer französischen Luxusbettdecke lagen. Strom war immer noch nicht wieder da.

Das Licht hatten wir ausgemacht, weil Milan irgendwann eingefallen war, dass es vielleicht ratsam sei, den Generator nicht so lange arbeiten zu lassen, bis der Diesel alle wäre.

Draußen stürmte und schüttete es weiter.

Apropos Salafisten, sagte Milan, und ich sagte, kannst du dir unter einem seismischen Fahrzeug was vorstellen.

Vorstellen kann ich mir viel, sagte Milan, aber gehört habe ich noch nie was davon. Wir sind ja nun aber gebüldete Mänschen, sagte er, also nehmen wir mal an, die Sache hat mit Seismos zu tun. Von wegen den Griechen.

Von wegen den Griechen kennen wir Seismografen und so was, sagte ich, zwecks der Erdbebenmessung. Glaubst du, wir sind in so einer Gegend, wo es Erdbeben geben könnte?

Nee, sagte Milan. Erdbeben gibt es nur, wo die

Häuser nicht erdbebensicher gebaut sind. In der Türkei und so.

Stimmt nicht, sagte ich, in Japan bauen sie erdbebensicher.

Na gut, sagte Milan. Hat ihnen aber auch nicht sehr viel geholfen.

Ich würd's ja bei Google mal nachschauen, sagte ich.

Google ging aber gerade nicht.

Wenn man mal für vierundzwanzig Stunden weg vom Netz ist, fühlt man sich sonderbar. Normalerweise merkt man gar nicht, wie oft man irgendwas nachschaut, bei Ravelry sowieso, weil das für Anouk und mich zum Beruf gehört, aber dann gehe ich einfach auch so massenhaft im Netz spazieren: hier ein Kochrezept, da ein Fremdwort oder ein neues Keyword, Milan braucht irgendwelche Teile, die er nicht in Hanau im Lager hat, oder die Spülmaschine geht kaputt, und er repariert sie über irgendwelche Tüftelblogs, in denen immer jemand weiß, ob es am Aquastop oder am Wasserzulauf liegen könnte, Aquastops gehen gern mal kaputt.

Man merkt es gar nicht, aber sobald man mal für eine Weile aus dem Netz draußen ist, geht es einem wie früher den Leuten im Urlaub.

Immer wenn jemand aus dem Urlaub zurückkam, sagte er, man fühlt sich richtig wie aus der Welt. So ganz ohne Zeitung. Das war in Zeiten, als man sich die Zeitung noch nicht nachschicken lassen konnte, und später bekam man die Zeitungen, aber dann war man zwar nicht aus der Welt, aber man kriegte die Welt erst einen Tag später per Zeitung an den Strand, und dann wusste man natürlich nie, ob man nicht was Wichtiges verpasst hatte und womöglich inzwischen irgendwo was hochgegangen oder ein Krieg ausgebrochen war, und die Leute fühlten sich damals schon merkwürdig, wenn sie so aus der Welt waren, aber schon den 11. September haben alle Menschen weltweit live mitbekommen, außer denen, die gerade keinen Empfang hatten, weil sie möglicherweise in einer Wetterkatastrophe festsaßen wie wir jetzt, und ausgerechnet jetzt hätte ich sehr gern gewusst, was ein seismisches Fahrzeug ist. Ohne Netz hätte ich es vermutlich nicht so beunruhigend gefunden, dass Jeremiah seine Gäste auf seismische Fahrzeuge hinwies und dass die Gäste die seismischen Fahrzeuge bei der Kommune melden sollten. Bei der Kommune und noch wem. Auch der »Noch-Wem« fing an mich zu interessieren, und am liebsten hätte ich Milan gebeten, den Generator noch mal anzuwerfen, um bei Licht auf dem DIN-A4-Blatt mit den Zwischenfällen und der Telefonliste nachlesen zu können, wem noch wir die seismischen Fahrzeuge melden sollten. Aber ich wollte Milan nicht beunruhigen. Milan dachte gerade auch übers Netz nach, allerdings in eine andere Richtung als ich.

Er grub seine Nase in meine Haare und sagte, ein ganzer Tag und ein ganzer Abend ohne Dennis und

Sunset. Wann hat's das zuletzt gegeben? Kannst du dich daran erinnern?

Mir fiel ein, dass wir seit vorgestern Abend nicht mit Anouk und Johnny telefoniert hatten. Nicht dass wir unbedingt jeden Tag mit den Kindern sprechen müssten, aber es ist so eine Gewohnheit, sich alle paar Tage wenigstens mal kurz anzurufen. Seit Johnnys Hochzeit machen wir es von uns aus eher seltener, um da nicht zu stören und weil wir uns erinnern können, wie meine Mutter oder Gregor uns treffsicher aus dem Bett geklingelt hatten, als wir jung waren und keineswegs von irgendwem aus dem Bett geklingelt werden wollten, ganz bestimmt nicht von meiner Mutter, die auch sehr gern, anstatt anzurufen, leibhaftig vor der Tür stand und mir unbedingt sagen wollte, dass sie bei dem schönen Sonnenwetter nur sehen wollte, ob wir auch an die frische Luft gegangen waren. Nach Johnnys Geburt hörte sie damit auf, weil sie wohl davon ausging, dass Johnny uns schon aus dem Bett holen und an die frische Luft zerren würde, aber um die Zeit fing Gregor dann an, uns aus dem Bett zu klingeln, weil er seine Examensarbeit nicht in den Griff bekam und zu jeder Tages- und Nachtzeit bei uns anrief wie heute Dennis bei Milan.

Ich sagte ein paar Monate lang, Gregor, es ist deine Examensarbeit, und es ist dein Thema, und wenn du die Entropie nicht verstehst, kann ich dir auch nicht helfen, ich habe mir das schließlich nicht ausgesucht.

Gregor hatte sich das ausgesucht, weil die Entropie

damals so etwas war wie ein Keyword heute, alle sprachen davon, dass die Welt untergehen würde, sie meinten damit nicht, dass der Winter anfinge und sie heizen müssten, sie meinten den großen und ganzen Weltuntergang, und es liegt auf der Hand, dass so ein Gesamtweltuntergang mit Entropie zu tun hat, also schrieben alle Leute, egal, welches Fach sie studierten, ihre Arbeiten über den Weltuntergang und die Entropie, und der CPC dieser Schlüsselwörter bestand zwar nicht in globalen PayPal-Dollars, sondern nur in einer Uni-Karriere, aber da sie auf der Karriereleiter ziemlich automatisch und eher per Rolltreppe oder Aufzug nach oben führten, waren der Weltuntergang und die Entropie eine sichere Bank.

Nur dass Gregor zu den Leuten gehörte, die es als einen persönlichen Verdienst ansehen, dass sie das kleine Einmaleins nicht können und nichts von Mathe und Physik verstehen.

Nicht dass ich selbst besonderes viel von Entropie verstanden hatte. Das gerade nicht.

Im Wesentlichen wusste ich von der Entropie nur, dass es keinen Time-Turner geben kann, weil die Zeit unumkehrbar ist. Dass jede Party im Chaos endet, nicht nur bei Thomas Pynchon. Dass wir alle langfristig tot sind. Dass die Welt unaufhaltsam in die Trägheit und Apathie steuert. Dass es keine Frage ist, ob ich das glaube oder nicht, sondern ein physikalisches Gesetz.

Gut.

Thomas Pynchon hat für einen Schriftsteller auch einen beachtlichen CPC, obwohl ihn kaum jemand liest, und ich habe keine Ahnung, ob Gregor ihn gelesen hatte. Ich jedenfalls nicht. Aber Pynchon war und ist Kult und so etwas wie der liebe Gott. Jedenfalls heilig. Das hängt damit zusammen, dass es seit 1957 keine Fotos von ihm gibt, und inzwischen weiß wirklich niemand, wie er aussieht, sodass auch keiner mit dem Handy mal kurz draufhalten und das Foto in Facebook veröffentlichen kann. Draufhalten schon, aber das hilft ja nichts, wenn man nicht weiß, dass es Pynchon ist, und jedenfalls hatte Pynchon, als er sein Gesicht noch nicht aus dem Verkehr gezogen und sich selbst damit zum Kult und heilig gemacht hatte, eine Geschichte geschrieben, die »Entropie« heißt und in der natürlich die Party im Chaos endet, und die Kombination aus Entropie und Pynchon war für Gregor eine absolut todsichere Bank, nur dass er Tag und Nacht bei uns anrief oder verzweifelt an der Tür klingelte, als Johnny noch klein war, und mich anflehte, ihm das Examen fertig zu schreiben, und schließlich schrieb ich ihm das Examen fertig, weil es entsetzlich ist, wenn Tag und Nacht das Telefon klingelt oder Gregor verzweifelt vor der Tür steht.

Nachdem er dann das Examen hatte und damit auf der Rolltreppe stand, klingelte er nie mehr, sondern hasste mich, und das ist ungefähr so ein Gesetz wie die Entropie, dass die Leute, denen man was schreibt, weil sie es nicht selbst auf die Reihe kriegen, einen nachher dafür hassen, aber es ist eine ziemlich gute Einnahmequelle, weil es erstaunlich viele Leute gibt, die nicht wissen, wozu die sechsundzwanzig Buchstaben da sind, die sie immerhin meistens in den Schulen noch gelernt haben, genau wie das kleine Einmaleins, und dann sind sie sauer, wenn jemand die Buchstaben sortiert kriegt oder sich kurz mal was durchrechnet, und das alles ist im Grunde auch so etwas wie Entropie, weil es auf der Hand liegt, dass aus Texten Contents werden mussten. Auch dass Jakob den Weg des geringsten Widerstands geht, und der führt direkt zu den Nullen, und so kommt es, dass mit der unumkehrbaren Zeit einfach immer dünnere Bretter gebohrt werden und keiner mehr was kapiert, aber jedenfalls erinnern wir uns noch sehr genau daran, wie entweder meine Mutter oder mein Bruder uns aus dem Bett geklingelt haben, und deshalb rufen wir Johnny von uns aus lieber nicht so oft an, seit er mit Debbie zusammen ist.

Nur wenn man kein Telefon hat, möchte man am liebsten seine Kinder sofort anrufen, es ist genau wie mit den seismischen Fahrzeugen, die man sofort googeln möchte, wenn man kein Netz hat, aber Milan genoss es sehr, dass Dennis ihn nicht anrufen konnte, deshalb sagte ich nichts davon und hörte dem Regen zu, der so laut war, dass man selbst das Trippeln der Ratten nicht hören konnte. Vielleicht hatten sie das Gift auch inzwischen gefressen, oder es fing zu wirken an.

Am nächsten Morgen hatte das Rauschen aufgehört.

Es war ein frischer Morgen mit strahlendem Sonnenschein. Als ob nichts gewesen wäre.

Das Wasser kam wieder durchsichtig aus dem Hahn, aber wir hatten weiterhin keinen Strom.

Lass uns in die Stadt fahren und dort Kaffee trinken, sagte Milan, aber unser Wagen stand immer noch im Wasser, und dort, wo das Wasser allmählich abfloss, hinterließ es Schlamm, in dem die Reifen durchdrehen würden, also brauchten wir es gar nicht erst zu versuchen.

Ich hätte gern auf unserer Terrasse in der Sonne gesessen und mit Anouks Lace-Tuch angefangen, aber nicht ohne Garn und nur mit einem Beilauffaden aus rostfreiem Edelstahl, und Milan hätte gern an einer Variante der faltbaren Hornboxen für Sven herumprobiert, die ihm gestern Nacht durch den Kopf gegangen war.

Es könnte eine geniale Idee gewesen sein, sagte er. Oder.

Das »Oder« ließ er hängen.

Ich sagte, was oder.

Oder der Château de Fontarèche.

An diesem Vormittag fand er es nicht heraus, weil wir keinen Strom und kein Netz hatten, und so saßen wir einfach auf der Terrasse in der Sonne, ohne etwas zu tun.

Gegen halb zehn kam Pierre.

Er kam hinten ums Haus herum zur Terrasse gewatet, nachdem wir das Türklopfen nicht gehört hatten.

Er wollte nur mal schauen, ob bei uns alles in Ordnung sei.

Wir erfuhren, dass in der Stadt der Strom wieder funktionierte.

Wegen der reichen Parisieng. Sagte Pierre. Die brauchen bloß mit dem Finger zu schnipsen.

Insgesamt war es wohl kein rekordverdächtiges Jahrhundertunwetter gewesen, keine Toten, ein paar Verletzte und nur eine kurze Meldung heute im Frühstücksfernsehen mit ein paar Bildern von Autos, die noch etwas tiefer im Wasser standen als unseres, ein paar Bäumen, die quer auf der Straße lagen, und ein paar Leuten, die das Übliche in die Mikrofone sagten: dass sie so was noch nie gesehen hätten, dass ihnen der Sturm das Dach weggeblasen hätte und so weiter.

Hunderttausend Menschen waren noch immer ohne Strom und Wasser.

Pierre setzte sich. Er hatte ein bisschen Zeit, weil ihm wegen des Wetters Kunden abgesprungen waren, denen er irgendwelche Häuser hatte zeigen wollen, außerdem wollte er sich diese Häuser lieber erst einmal ohne Kunden ansehen. Man weiß ja nie.

Ich sagte, dass ich ihm keinen Kaffee anbieten könne, und holte aus der Küche ein Glas Mineralwasser, und dann hörten wir uns die Lage an: Die Campingplätze waren evakuiert worden, die meisten Urlauber inzwischen abgereist, die Zufahrt zum Supermarkt von umgefallenen Platanen blockiert, unser Weg in die Stadt noch nicht wieder befahrbar, weil Straßengräben übergelaufen waren.

Das war das offizielle Bulletin.

Dann druckste Pierre einen Moment herum und fasste sich schließlich ein Herz. Er deutete auf den Hochsicherheitszaun am Rand des Grundstücks.

Und, sagte er. Bei Ihnen alles in Ordnung mit dem Zaun?

Keine Ahnung, sagte Milan.

Dann wateten die beiden durchs nasse Gras am übergelaufenen Pool vorbei und einmal den Zaun entlang. An einigen Stellen bückte sich Pierre, um etwas am Boden genauer zu betrachten.

Was soll mit dem Zaun schon sein, sagte ich, als sie wiederkamen, und das hatte Milan auch gefragt.

Erklär ich dir später, sagte er und machte mir mit einem stummen Kopfschütteln klar, dass ich nicht weiterfragen sollte.

Na, wie gesagt, sagte Pierre am Schluss seines Inspektionsbesuchs, jetzt ziehen wir Ihren Wagen erst mal aus dem Dreck, und dann bringe ich Sie rüber zu Dédé und Raya.

Milan nickte. Pierre holte eine Abschleppstange aus seinem Jeep, und nachdem die beiden Männer den Wagen aus dem Wasser hatten, fuhr er voraus und wir ihm hinterher. Es ging über kleine Straßen und schließlich auf einem schmalen Weg in den Wald hinein.

Merk dir den Weg, sagte Milan und erzählte, dass Pierre in Sorge gewesen war, weil in letzter Zeit und auch während des Gewitters jede Menge Zäune in der Gegend beschädigt worden seien.

Von den Wildschweinen, sagte ich.

Gerade nicht, sagte Milan.

Also Einbruch, sagte ich.

Auch nicht. Nur durchgeschnitten.

Wer macht denn so was, sagte ich.

Pierre hatte gesagt, dass die Leute da einen Verdacht hätten, aber es wäre eben nur ein Verdacht, und deshalb wolle er sich da nicht so aus aus dem Fenster hängen. Jedenfalls würden jetzt auch hier die Zäune durchgeschnitten.

Da oben hat es angefangen, hatte er gesagt und in Richtung der Cevennen gedeutet, und jetzt sind sie bis hier runter gekommen. Nach Uzès natürlich nicht. Schon wegen der Parisiens und der Touristen, die Pierre im weiteren Sinne auch für reiche Pariser zu halten schien.

Nur die Dörfer und das Land, hatte er gesagt. Aber da mit System.

Ich fand das eine etwas mysteriöse Geschichte, und Milan sagte, wie dem auch sei, bei uns waren sie jedenfalls nicht.

Im Übrigen fuhren wir jetzt zu zwei alten Leuten,

deren Telefonnummer auf unserem DIN-A4-Blatt gestanden hatte und bei denen wir uns mit allem Nötigen versorgen könnten, solange der Supermarkt noch nicht wieder beliefert würde.

Ich bin gespannt, sagte ich.

Schließlich bog Pierre in einen Schotterweg ein, der zwischen zwei Feldern mit Tomaten, Paprika und Auberginen zu ein paar Holzschuppen mit Wellblechdächern führte. Überall lagen Obst- und Gemüsekisten, die der Sturm durch die Gegend gekickt hatte.

Eine der Schuppentüren stand offen, und Milan sagte, schau dir das an.

Im Schuppen sah es aus wie in einer der Fantasy-Werkstätten, die Johnny manchmal entwirft, wenn er Wimmelbild-Spiele macht: ein Oldtimer, rostige Tanks, Petroleumlampen, irgendwo ein Gartenschlauch, drei Gewehre, ein verbeultes Fahrrad, ein paar Angelruten, ein großes Fass, Gummistiefel, alles durcheinander.

Schließlich kamen wir an ein recht großes Wohnhaus.

Jeremiahs Haus war, wie die meisten Häuser hier in der Gegend, ebenerdig gebaut, dieses hatte noch ein zweites Stockwerk und eine riesige Garage.

Es schien eine Versammlung stattzufinden: Jede Menge Fahrzeuge standen vor dem Haus, Pkws, Pick-ups und ein paar Trecker. Es war kaum mehr Platz für Pierres und unseren Wagen, und jede Menge Leute standen in und vor der Garage.

Mords was los hier, sagte Milan, als wir ausstiegen und mit Pierre auf die Garage zugingen.

Der weitere Verlauf dieses Tages und unseres Sommers hatte entscheidend damit zu tun, dass Pierre uns für Sportsfreunde und Mitglieder seines und Jeremiahs Rügbi-Vereins hielt, dem offenbar auch alle hier Anwesenden angehörten. Jedenfalls stellte er uns der Versammlung mehr oder weniger so vor, als wären wir Jeremiahs Freunde und für ihn gewissermaßen alte Bekannte, und dann wurden uns freundlich und sehr ausgiebig die Hände geschüttelt. Raya zeigte auf eine Schüssel mit Aprikosen, womit sie meinte, dass wir uns gern bedienen könnten. Sie hatte ein großes Schultertuch gegen die Morgenfrische umgelegt, und dieses Schultertuch beschäftigte mich einen Moment lang, bevor ich dann weitere Hände drückte. Ich kenne mich mit Garnen längst nicht so gut aus wie meine Tochter, aber den Unterschied zwischen Ramie und Paketschnur habe ich drauf und noch eine ganze Menge mehr, aber woraus das Tuch von Raya gestrickt war, hätte ich nicht sagen können. Es sah federleicht aus, war nicht so flauschig wie Baby-Mohair, aber im Faden ungefähr so dünn. Fast noch dünner. Und wirklich federleicht. Ich schätzte, dass das ganze Schultertuch keine fünfzig Gramm wog. Pierre küsste sich durch die Menge durch, und als das erledigt war, ging das allgemeine Gespräch weiter, weil wir jetzt gewissermaßen kommentarlos dazugehörten, und während des Gesprächs trafen noch immer weiter Leute ein, die meisten waren im Rentenalter, einige hatten ihre Enkelkinder dabei, und als Bernadette von der Mercerie eintraf, hatte sie ein Enkelkind auf dem Arm und ein zweites an der Hand und grüßte nur kurz, ging dann aber gleich mit den Kindern an der Garage vorbei hinters Haus und kam erst eine Weile später wieder zurück.

Von dem Moment an, als Bernadette auftauchte, haben Milan und ich etwas ganz Verschiedenes erlebt.

Milan hörte eine abenteuerliche Geschichte, von der er hinterher kurz überlegte, ob er sie wirklich glauben sollte. Dann beschloss er, sie zu glauben, einfach weil die Welt ein barbarischer Ort ist. Und irre noch dazu.

Manchmal fragte er etwas ins allgemeine Gespräch hinein und bekam eine Antwort oder eine Handbewegung in Richtung Nordwesten zur Erläuterung, manchmal auch nicht, weil er eine falsche Frage gestellt hatte, die er selbst als Sportsfreund und Rügbi-Mitglied besser nicht gestellt hätte. Schließlich war er neu und zum ersten Mal hier.

Die Geschichte ging kurz zusammengefasst so, aber das erfuhr ich erst, als er sie mir später im Auto auf dem Rückweg erzählte: Oben in den Cevennen – das war die Handbewegung nach Nordwesten gewesen – wurde nach Schiefergas gebohrt.

Fracking, sagte Milan im Auto. Eine Riesenfläche. Hunderte von Dörfern.

Ich sagte, ist das nicht verboten? In Deutschland ist das doch verboten, oder?

Schon, sagte Milan, aber Probebohren ist erlaubt.

Das mit den Probebohrungen war wohl gesichert.

Und hast du mal eine Wildsau gesehen, die den Trüffel wieder hergibt, den sie gefunden hat, hatte Dédé gesagt, um Milan den Ernst der Probebohrungen anschaulich zu machen.

Dédé war der Hausherr. Er war zweiundachtzig, sah aus wie Ende sechzig, hatte das strahlendste Lächeln, das ich je an einem Mann gesehen habe, und er lebte schon immer hier und war schon immer Bauer gewesen und kannte sich mit Wildschweinen aus.

Milan gestand, dass er überhaupt noch nie eine Wildsau in freier Wildbahn gesehen hatte, geschweige denn einen Trüffel, was die Leute mit schallendem Gelächter kommentierten.

Was dann kam, klang nicht so, dass Milan es glauben mochte, aber seit der Jahrhundertwende gibt es viele Dinge, die man nicht glauben mag.

Für Probebohrungen nämlich braucht eine Ölgesellschaft Land, auf dem sie bohren kann.

Das Land da oben, diese Riesenfläche im Nordwesten, hatte sie schon. Ehemals Landwirtschaft.

Übrigens seismisch hochsensibles Gelände. Tausende von Hektar. Aber natürlich will sie noch mehr.

Landgrabbing, sagte ich. Dasselbe wie überall. Sie warten auf den Tsunami in Thailand, auf den Hurrikan in New Orleans, auf das Hochwasser in Brandenburg, das gehört zur Logistik der Weltwirtschaftskrise.

Wart's ab, sagte Milan.

Während Milan also hörte, dass die Wildschweine, die bisher zwar in gewaltigen Mengen, aber doch kontrollierbar und friedlich in den Bergen gewohnt hatten, durch die Probebohrungen gestört wurden und ihre Reviere aufgaben, sah ich etwas ganz anderes, und sonderbarerweise gehörten die Ölgeschichte und das, was ich sah, ganz genau zusammen.

Es gab zwei Theorien zur Vertreibung der Wildschweine, deren jeweilige Anhänger sie Milan erläuterten. Pierre war, genauso wie Dédé, Verfechter der Wassertheorie, und beide beriefen sich auf einen Film, den wir nicht kannten, von dem Dédé aber wusste, dass eine DVD davon bei Jeremiah lag, weil er ihn mit ein paar anderen Leuten zusammen in Jeremiahs Heimkino gesehen hatte.

»Gasland«, sagte Dédé, müssen Sie sich unbedingt ansehen, und Milan versprach, dass wir den Film sehen würden, sobald wieder Strom da wäre.

Das mit dem Strom kann dauern, sagte Dédé und deutete wieder in Richtung der Berge.

Einstweilen schilderte er mündlich, dass in diesem Film Wasser aus den Leitungen gekommen war, das anfing zu brennen, wenn man ein Streichholz daran hielt. Das hatte mit dem hydraulischen Frakturieren zu tun.

Die pumpen da jede Menge Chemie rein, in die Felsen und immer feste ins Grundwasser, und ich gieße damit die Tomaten, sagte Dédé.

Milan sagte, dass er von dem Wasser schon gehört habe, das man anzünden könne. Methan, sagte er.

Und was sonst noch, sagte Dédé und machte eine Rundum-Armbewegung, um zu zeigen, dass er überall hier auf seine Tomaten, Paprika und Auberginen dieses chemische Wasser goss.

Ich würd's nicht, sagte Pierre, der wie Dédé annahm, dass die Wildschweine wegen des verseuchten Grundwassers ihre Reviere verließen und deshalb bis hier herunter kamen.

Das Trinkwasser war schon mal erledigt, darüber waren sich die meisten Anwesenden einig.

Eine Minderheit vertrat die These, dass das Wasser noch nicht verseucht wäre, weil einstweilen die Regierung das Fracking noch nicht erlaubt hätte. Diese Minderheit vermutete, dass die Wildschweine vom Lärm der Bohrungen vertrieben würden, und auf die Art konnten wir uns eine Vorstellung davon machen, was seismische Fahrzeuge sind. Später sahen wir sie natürlich mit eigenen Augen, und sie sehen wirklich außerirdisch aus. Vor allem sind es sehr viele, weil sehr viele Giftcocktails gebraucht werden, um die Steine zum Bersten zu bringen. Die Erde wird flächendeckend durchlöchert, und pro Loch braucht man zwar nur einen Lkw mit einer riesigen hydraulischen Pumpe, dafür aber sehr viele Lkws mit Abermillionen Litern Flüssigkeit, die in die Erde geschossen werden. Natürlich muss da gewaltig gebohrt werden, bis ein paar Tausend Hektar komplett durchlöchert sind.

Ich stellte mir vor, wie die Erde flächendeckend durchlöchert wird, und fand das Bild obszön.

Milan kennt sich mit Vibrationen aus. Das können leicht mal um die zweihundert Dezibel sein, wenn nicht mehr, sagte er, als er mir die Lärmthese erklärte, weil ich das Ganze nicht mitbekommen hatte.

Jedenfalls waren die Wildschweine inzwischen hier in der Gegend und hatten bis kurz vor Uzès gewütet. Mittlerweile hatten alle Leute ihre Grundstücke eingezäunt. Die Bauern sowieso, egal ob sie Cerealien oder Getreide anbauten oder Schafe darauf hielten, aber Milan hatte verstanden, dass es einer Horde Wildschweinen ziemlich egal ist, ob sie ein Feld verwüstet oder bloß einen kleinen Garten. Die zieht da durch, hatte man ihm erklärt, und hinterher sieht dein netter kleiner Garten mit ein paar Reihen Lavendel und den Rosensträuchern aus wie ein Schlachtfeld. Als hätten da Granaten eingeschlagen.

Na gut, sagte Milan, als ich die Wildschweingeschichte so weit verstanden hatte und wusste, warum unser Ferienhaus geschützt war wie ein Hochsicherheitstrakt.

Und jetzt kommt der Clou.

Nämlich, sagte ich.

Seit ein paar Wochen werden den Leuten also die

Zäune gekappt. Erst nur einzelnen Bauern, aber während des Unwetters gestern und vorgestern massenhaft. Fast allen, die heute da waren. Und vermutlich noch mehr Leuten, die eben nicht da waren. Überhaupt wird dies und das gekappt: Telefonleitungen und so. Liegt ja hier alles oberirdisch. Und bis das dann repariert wird, kann es dauern. Bis dahin sind die Schafe weg und die Wildschweine drin gewesen.

Klingt ein bisschen albern für so einen großen Ölkonzern, sagte ich.

Unkonventionell, sagte er. Unkonventionelle Gasbohrungen, unkonventionelle Methoden, an Land zu kommen, aber so neu auch wieder nicht.

Ich hatte nur ein paar Brocken von dem aufgeschnappt, was die Leute bei Dédé und Raya beschäftigte.

Milan sagte, das Ganze erinnert mich an die Graffitizeit

Milan selbst hatte kein Haus besetzt, aber er kannte natürlich Leute, die im Westend Häuser besetzt hatten, und jeder, der zu der Zeit in Frankfurt gelebt hat, weiß, dass die Häuser im Westend gelegentlich brannten, und es waren nicht die Mieter oder die Besetzer, die die Feuer gelegt hatten, sondern die Besitzer, und bekanntlich brennen in Spanien auch deshalb so oft die Wälder, weil sie gezielt abgefackelt werden. Ich kann mich nicht mehr genau daran erinnern, weil das Wort inzwischen aus dem allgemeinen Sprachgebrauch verschwunden ist, nicht die Methode natürlich, nur die Bezeichnung dafür, aber ich glaube, wir haben das im Westend damals heiße Sanierung genannt. Heiße Sanierung oder warmer Abriss.

Ich fragte Milan, wie wir dazu gesagt hatten, und er sagte, du konntest beides sagen, aber heiße Sanierung war das gängige Wort.

Apropos heiße Sanierung, sagte er dann: Bella Luna ist überhaupt keine Pizzeria, sondern eine Engländerin, die da oben auf dem Gelände gewohnt hat. In irgendeinem dieser Dörfer, wo in der Gegend gebohrt wird. Nach allem, was ich verstanden habe, eine schräge Person, die vor dreißig Jahren hier angekommen ist und für einen Appel und ein Ei eine alte Fabrik aus dem 19. Jahrhundert gekauft hat. Die hat sie wieder flottgemacht. Spinnerei. Natürlich heißt sie nicht Bella Luna, sondern wird von allen nur so genannt. Der ist eines Nachts das Dach über dem Kopf angezündet worden.

Ich wurde hellhörig und sagte, was heißt hier Spinnerei. Spinnt sie im Kopf oder spinnt sie Fäden?

Was ich nämlich an diesem Vormittag bei Dédé und Raya erlebt hatte, war mindestens so erstaunlich wie die Geschichte, dass eine Ölgesellschaft die alten Leute mittels Wildschweinen und gekappten Zäunen und Leitungen von ihren Grundstücken vertreiben wollte und einer spinnenden Engländerin das Haus abgebrannt haben sollte.

Es hatte mit Rayas federleichtem Schultertuch angefangen und war mit Bernadettes Enkelkindern weitergegangen, und danach war es wie mit den Eichhörnchen im Central Park, von denen Anouk erzählt hatte, nachdem sie erst ein paar Tage in New York gewesen war und über alles staunte, besonders über das Phänomen der Eichhörnchen im Central Park.

Sie hatte es mir am Telefon erzählt und es kaum fassen können.

Du gehst so friedlich vor dich hin, hatte sie gesagt, und plötzlich siehst du ein Eichhörnchen, du freust dich und gehst weiter. Dann siehst du noch eins, es ist wieder niedlich, danach kommt irgendwann ein drittes, alle sind ziemlich einzeln, aber während du jetzt weitergehst, siehst du plötzlich auf einmal, dass überall Eichhörnchen sind. Wo du hinschaust, siehst du plötzlich Eichhörnchen, sie sind kein bisschen mehr einzeln, sondern massenhaft da, und zwar mit einem Schlag. Hunderte oder Tausende, und das ist doch komisch, oder.

So ähnlich wie Anouk mit den Eichhörnchen im Central Park ging es mir an diesem Morgen.

Wenn man nicht alles versteht, was um einen herum gesprochen wird, schaut man sich zum Ausgleich dafür etwas genauer an, was man sieht, das strahlende Lächeln von Dédé, neben dem seine Frau stand, deren federleichtes Schultertuch gewissermaßen das erste Eichhörnchen war, das ich gesehen hatte. Danach sah ich mir die alten Gesichter an und dachte darüber nach, wie schön alte Gesichter sein können, so ganz ohne Hyaluron und Botox. Die Leute hier hatten einfach faltige braune Netto-Gesichter, jeder ein eigenes, jeder eines für sich, es waren alles Gesichter, die Debbie begeistert hätten. Als Make-up-Artist hasst sie Hyaluron und Botox. Operationen natürlich sowieso. Debbie kann keinen Film im Fernsehen anschauen, ohne über die Schauspieler zu fluchen, die sich die Gesichter haben glatt ziehen lassen, am schlimmsten findet sie Harrison Ford und Michael Douglas. Wenn sie Harrison Ford oder Michael Douglas in einem neueren Film sieht, würde sie am liebsten ausschalten. Bei Renée Zellweger auch.

Die hatte mal ein echtes Menschengesicht, jammert sie, und sie hätte sich sehr gefreut, hier auf einem kleinen Fleck sehr viele echte Menschengesichter zu sehen. Wenn's nicht lebt, kann der genialste Make-up-Artist nichts machen, sagt sie, und manchmal weiß man schon gar nicht mehr, wie das aussieht, wenn's lebt. In den Innenstädten siehst du fast keine echten Menschengesichter mehr, sagt sie, außer bei Pennern gibt's das kaum noch, jedenfalls nicht im Zentrum, und natürlich übertreibt sie, aber für ihre Branche hat sie natürlich recht, ungeliftet kommt nichts mehr auf den Bildschirm, und jedenfalls fielen mir die echten Menschengesichter immerhin auf, also musste an dem, was sie sagte, was dran sein. Mir fiel alles Mögliche außer den Gesichtern auf, aber ausgerechnet die Eichhörnchen sah ich nicht. Stattdessen das ganze Obst und Gemüse in der Garage, das eindeutig nicht der Euronorm entsprach. Es macht mir nichts aus, Obst und Gemüse zu kaufen, das der Euronorm entspricht. Anouk regt sich darüber auf, weil sie sagt, was nicht der Norm entspricht, wird einfach weggeschmissen, aber Anouk ist achtzehn, und da schmeckt ihr die Mohrrübe eben besser, wenn sie nicht gerade gewachsen ist, sondern krumm, und wenn noch Erde dran klebt. Mir schmecken die Kartoffeln zur Not auch, wenn sie alle gleich groß und schon gewaschen sind, nur fiel mir auf, dass ich außerhalb irgendwelcher Bioläden schon viele Jahre lang kein Obst und Gemüse mehr gesehen hatte, das nicht der Euronorm entsprach, und wir sind zwar dank Johnnys Software einigermaßen mit einem blauen Auge aus der letzten Krise rausgekommen, aber schon vor der Krise war Milans Firma wegen der amputierten öffentlichen Hand irgendwann pleite. Wir saßen auf dem Kredit und haben schon recht früh zu der inzwischen exponentiell angewachsenen mathematischen Menge A der Leute gehört, für die Kinos und Bioläden gestrichen sind und die daher das Obst und Gemüse kaufen, das den Euronormen entspricht und wie unsere Brötchen aus China kommt, weswegen die Chinesen neuerdings Bäcker haben, wo sie überhaupt niemals Brot oder Brötchen gebacken haben, bevor es die Euronorm überhaupt gab.

Das normwidrige Obst und Gemüse fiel mir also auf,

aber zunächst einmal außer Rayas Schultertuch eine ganze Weile kein weiteres Eichhörnchen, obwohl sie wirklich überall waren. Keine Ahnung, warum das so ist, dass einem sehr oft das Offensichtliche entgeht. Es muss mit der Trägheit der Wahrnehmung zu tun haben. Schließlich nehme ich Werbeplakate auch nicht mehr wahr, jedenfalls nicht bewusst, was die Sache natürlich nicht besser macht, weil das Marketing darauf eingestellt ist, dass niemand die Werbung bewusst wahrnimmt, und dann kaufen doch alle diese oder jene Marke.

Irgendwann kam dann Bernadette, und da fielen mir die beiden Enkelkinder auf, vielmehr ihre Jacken. Ich weiß nicht, wie unser Sommer verlaufen wäre, wenn der Vormittag nach dem Unwetter nicht feucht und kühl, sondern so warm wie die anschließenden Tage gewesen und all die Eichhörnchen, die ich plötzlich entdeckte, in ihren Schränken geblieben wären.

Jedenfalls hatten die beiden Enkelkinder Strickjacken an, die ich nie und nimmer hier in Südfrankreich, an diesem Ort und schon gar nicht nach unserem Besuch in der Mercerie erwartet hätte. Diese Jacken hier waren nicht aus Acryl, sondern aus einer ungewöhnlich schönen Merinowolle, die zu einem ebenfalls ungewöhnlich schönen Verlaufsgarn verarbeitet war: Das Baby steckte in einem Jäckchen in Goldtönen, die von sonnigem Gelb bis zu warmem Ocker spielten, das größere Mädchen trug eine ganze lila Palette, von Flieder bis Knallviolett. Wer immer diese Farbverläufe entworfen hatte – er hatte offenbar Gustav Klimts 150. Geburtstag auf seine eigene Weise mit einer besonderen Hommage gefeiert.

Ich ging im Kopf die Marken durch, die sich diese Spielerei hätten einfallen lassen können, aber selbst die japanischen und kanadischen Edelmarken hatten dieses goldene und das lila Verlaufsgarn nicht im Programm, sonst hätte Anouk sie als Abschreibungsgarn bekommen und mir davon berichtet, weil Anouk angesichts des Gustav-Klimt-Garns hier mit Sicherheit aus dem Häuschen geraten wäre.

Später, als Milan mir im Auto seinen Vormittag erzählt hatte, war mir natürlich klar, dass diese Garne mit der spinnenden Engländerin zu tun hatten, die nach dem Warmabriss ihres Hauses verschwunden war, jedenfalls hatten das die Leute gesagt.

Milan hatte nach der Engländerin gefragt. Ob sie bei dem Feuer umgekommen sei, es hatte schließlich nachts bei ihr gebrannt, und das war so eine Frage gewesen, die er besser nicht hätte stellen sollen. Er bekam nur eine knappe Antwort: Umgekommen sei sie nicht. Sonst hätte sie ja die Feuerwehr nicht mehr rufen können.

Aber, sagte Milan.

Kein Aber. Sie sei eben weg und verschwunden.

Noch mehr als das Garn verblüffte mich an diesen beiden Jäckchen, dass es beide BSJs waren. BSJs kann man nicht kaufen.

Ein BSJ kann man nur haben, wenn man es selber macht oder von jemandem geschenkt bekommt, der es selbst gemacht hat, und bekanntlich ist das Selbermachen seit Langem aus der Mode, wobei das Stricken zwar in den letzten Jahren ein wenig in Mode gekommen ist, aber das hat eher mit Krisenmarketing zu tun als mit dem Selbermachen, also wundern Sie sich nicht, wenn Sie das BSJ nicht kennen.

Selbst wenn Sie noch nie ein Parfum für sich oder andere gekauft haben, wissen Sie, was Chanel No. 5 ist, und selbst wenn Sie nie Kleider tragen, haben Sie schon von dem kleinen Schwarzen gehört. Gewissermaßen hat Chanel No. 5 unter allen Parfums den höchsten CPC und das kleine Schwarze unter allen Kleidern.

Und genauso ist es mit dem BSJ. Das BSJ heißt eigentlich Baby Surprise Jacket, weil es sehr überraschend ist und man, bis man die letzte Masche gestrickt hat, nicht auf die Idee kommt, es könnte eine Jacke oder überhaupt ein Kleidungsstück sein, es sieht unordentlich und verunglückt aus, und dann gibt es einen Trick, wie man es faltet, und nach der Doppelfaltung ist es plötzlich überraschenderweise das entzückendste Babyjäckchen, das man sich nur denken kann. Elizabeth Zimmermann hat es erfunden, als sie ihren ersten Enkel bekam, und sie ist in der Strick-Community weltweit etwa so bekannt wie Coco Chanel oder Christian Dior in der Mode, nur dass Chanel und Dior eben Labels sind und man nichts selber machen muss, während man Elizabeth Zimmermanns Sachen eben selber machen muss.

Gesetzt den Fall, Sie können kraus rechts stricken, was so ungefähr das Einfachste ist, was man mit einem Faden und zwei Stricknadeln tun kann. Dann sind Sie im Prinzip in der Lage, das BSJ herzustellen, und vorausgesetzt, in Ihrer Umgebung gibt es noch irgendwo jemanden, der ein Kind bekommt, werden Sie dieses BSJ auch sofort herstellen wollen, weil es schöner ist als jedes Jäckchen, das Sie für ein Baby kaufen können. Das sehen Sie sofort, wenn Sie mal googeln: Geben Sie BSJ und EZ ein, und schauen Sie sich die Dinger an.

Wirklich sehr einfach zu stricken, Anouk braucht zwei Stunden dafür, ich vielleicht doppelt so lange.

Die Anleitung zum BSJ können Sie natürlich kaufen, allerdings nicht bei Ravelry, wo immerhin ziemlich viele Anleitungen stehen, sogar sehr viele, die gar nichts kosten. Sie gehen also zu Ravelry, geben das BSJ ein und bekommen dann nichts weiter als die Auskunft, wo Sie die Anleitung finden können. Sie steht in zwei der Bücher, die Elizabeth Zimmermann geschrieben hat und von denen Sie sich möglicherweise erinnern, dass ich mich weiter oben, noch bevor Milan und ich nach Frankreich gefahren waren, sehr geärgert hatte, dass kein Verlag sie übersetzt hat. Sinngemäß hatte ich gesagt, dass du dich als Technical Editor und Übersetzer im Strickgeschäft kaum vor Sockenanleitungen und -büchern retten kannst, aber nicht einmal das Biografische dieser Frau ist übersetzt. Elizabeth Zimmermann können Sie überhaupt nur kennen, wenn Sie des Englischen mächtig sind, wobei das Englische im Fall von Strickanleitungen aus lauter Abkürzungen besteht.

Wenn Sie jetzt noch daran denken, dass die Franzosen bekanntlich keine Fremdsprachen können, was eine Tatsache ist und flächendeckend für fast ausnahmslos alle Franzosen gilt, dann können Sie ermessen, wie sehr mich das Auftauchen des doppelten BSJ vor einer unordentlichen südfranzösischen Garage mit normwidrigem Obst und Gemüse darin und ungelifteten Rentnern davor überrascht hatte, es war sozusagen ein gewaltiger Baby-Surprise in Jäckchenform, ein völlig unerwartetes Eichhörnchen im Central Park, und dann kam auch gleich der erstaunliche Eichhörncheneffekt, den Anouk beschrieben hatte: Auf einen Schlag sprang meine Wahrnehmung um, und ich sah überall Eichhörnchen, einige waren Modelle von Elizabeth Zimmermann, andere waren weniger bekannt, vielleicht auch selbst entworfen, keines so spektakulär wie das BSJ aus dem Gustav-Klimt-Garn, oft braun, cremefarben, beige oder einfach grau. Pullis, Jacken und Tücher, meistens aus sommerlich dünnem Garn, als ob der Sommer keine Saure-Gurken-Zeit für die Branche wäre.

Ich nahm mir eine Aprikose, tippte Raya bei der Gelegenheit kurz auf die Schulter und machte ein Zeichen, um ihr zu signalisieren, wie mir das Tuch gefiel, das sie umgelegt hatte, und sie lachte und machte wiederum mir ein Zeichen, damit ich ihr hinters Haus folgte, wo Bernadette mit den Enkeln hingegangen war, weil alle kleinen Kinder Tiere mögen. Manche mögen sie sogar gleich so sehr, dass sie später Pinguine am Südpol retten wollen und Zornestränen wegen der abgeschnittenen Hintern von Schafen vergießen, und Anouk hat es glatt den Boden unter den Füßen weggerissen, als sie später die Angorakaninchen und die Schafe und Ziegen sah, die bei Dédé und Raya hinterm Haus lebten. Es waren nur ein paar Schafe, wenige Ziegen, dafür bestimmt ein paar Hundert Karnickel in allen Farben. Raya griff sich eines, zupfte das Tier mit drei Fingern kurz am Rücken, und ich wusste, woraus ihr Tuch gearbeitet war.

Raya strahlte, aber dann schüttelte sie den Kopf und sich selbst das Lächeln aus dem Gesicht und zeigte auf den Zaun am Rand ihres Grundstücks. Es war ein sehr großes Grundstück, das in Wald überging. Der Zaun sah so aus wie der von Jeremiah. Raya machte mit der rechten Hand eine Scherenbewegung, die ich erst verstand, nachdem Milan mir erzählt hatte, was er erlebt und gehört hatte, aber das ist ja meistens so, dass man die ganze Geschichte nur richtig zusammengesetzt kriegt, wenn jeder erzählt, was für einen Teil davon er erlebt oder kapiert hat, selbst wenn er überhaupt nicht versteht, was ihm da gerade widerfahren ist, deshalb sind Unwetterkatastrophen auch so praktisch in den Nachrichten, weil bei Unwetterkatastrophen alle ungefähr dasselbe erleben, Dach weg, Auto im Wasser, Baum über Straße, Keller vollgelaufen oder Haus abgebrannt, und natürlich ist das Wetter schon lange nicht mehr Natur, aber es wird doch noch immer behandelt, als wäre es Natur, also hat es keine Geschichte, die man zusammensetzen muss und dann kapieren kann. Deshalb sagen dann alle, dass sie so was noch nie erlebt hätten oder es wäre wie Weltuntergang, der ja schließlich auch alle auf einmal und auf dieselbe Weise erwischt, jedenfalls beinah alle. Im Grunde erwischt es regelmäßig diese besagte mathematische Menge A, die bei jedem örtlichen Weltuntergang exponentiell wächst, weil die mathematische Menge B wieder etwas millionärer wird, aber es ist immerhin ein Trost, dass alle dasselbe erleben und die Kinder immer am meisten leiden.

Milan hatte im Auto, als wir unsere beiden Geschichten zusammensetzten, einen sehr ähnlichen Gedanken wie ich.

Er sagte, weißt du, wie mir das vorkommt?

Ich sagte nichts, und Milan sagte, mir kommt das vor wie it's all over now, baby.

Natürlich kriegt man in Frankfurt oder New York nichts davon mit. Selbst in Uzès kriegen die Leute nichts mit, weil sie dort Urlaub machen, ob es nun die reichen Parisieng mit ihren Zweitpalästen sind, die

Pierres Agentur ihnen vermittelt, und wenn wir nicht Mitglieder in Jeremiahs Rügbi-Verein gewesen wären oder wenn bloß der Vormittag bei Dédé und Raya nicht so frisch und noch kühl gewesen wäre, hätten wir es auch nicht mitgekriegt, aber es ist damit wie mit der Zeit und dem Time-Turner bei Harry Potter, der wegen der Entropie leider unmöglich ist: Man kommt nicht mehr dahinter zurück, weshalb es eigentlich praktischer ist, wenn man da gar nicht hinkommt, sondern sich die Unwetterkatastrophen im Fernsehen anschaut, wo sie dann normgerecht ins globale Ranking einsortiert sind mitsamt den schäbigen Hütten und Wellblechdächern, über die man nur den Kopf schütteln kann.

Unsere Tochter hatte ihr »it's all over now, baby« hinter sich, als sie ihr Rückflugticket änderte. Von Frankfurt auf Marseille und von dort per Autostopp weiter bis Fontarèche.

Sie hatte uns anrufen und alles erzählen wollen, aber das ging ja nicht.

Dann hatte sie angefangen, sich Sorgen zu machen, weil so ein läppisches Unwetterlein wie unseres natürlich nicht bis New York langt und es auch nicht als Nachricht in einen Netzticker schafft und weil unser eigenes Netz tatsächlich fast eine Woche weg war. Der Strom kam irgendwann wieder, Pierre vermutete, dass es sonst teuer geworden wäre, weil man ab einer bestimmten Zeit Schadensersatz verlangen kann. Knapp vor Ablauf dieser Frist hatten wir also wieder Strom und eine Tochter im Haus, die keineswegs mehr von Workshops auf Orkney mit oder ohne Abstecher nach Island oder Estland sprach, sondern alles aufgeben wollte, weil es ja doch keinen Sinn hatte.

Wir hatten zwar unsererseits zum ersten Mal in unserem Leben ebenfalls das Gefühl, dass es keinen Sinn habe, wir spürten förmlich, wie von da oben die Erde zu rutschen begann – die dazugehörige Handbewegung in Richtung der Cevennen hatten wir uns sehr schnell selbst beigebracht und angewöhnt, aber Anouk war gerade achtzehn, und es ist etwas anderes, ob es keinen Sinn hat, wenn man achtzehn ist oder wenn man durch die eine oder andere Pleite und Krise schon mit einem blauen Auge durchgeschlittert ist. Außerdem hatte Anouk Anneli Schachtschneider eine Schnepfe und Sklavenhalterin genannt, wobei sie erstaunt darüber zu sein schien, dass Anneli die Sklavenhalterin nicht so tragisch aufgenommen hatte wie die Schnepfe.

Milan lachte und sagte, das kann ich dir erklären.

Als sie ein paar Tage da war, kam es ihr dann erwartungsgemäß und zum Glück nicht mehr so vor wie it's all over now, baby.

Vollends in Seligkeit schlug ihre Stimmung um, nachdem wir sie zu Dédé und Raya mitgenommen hatten, wo es nicht nur ungewaschenes Obst und Gemüse zu kaufen gab, sondern eine Menge anderer Sachen, die es aufgrund Normwidrigkeit nicht in den Supermarkt schafften: undatierte Eier, splitterige Seife, grünliche Ziegenkäse, Kürbis- und andere Marmelade in Haushalts-Einmachgläsern mit verblassten Gummiringen und getrocknetem Zuckerrand, und in Einmachgläsern gab es auch irgendwelche Wurstwaren, an manchen Tagen kam jemand und brachte Fleisch, an anderen Fisch, und Raya hatte einen kleinen Block kariertes Papier, auf dem sie mit Bleistift aufschrieb, was sie einnahm. Wenn ein Blatt vollgeschrieben war, riss sie es ab, knüllte es zusammen und warf es fröhlich in den Papierkorb.

Das könnte dem Fiskus so passen, sagte sie, als wir sie das erste Mal dabei sahen. Und dann stecken sie's den Typen da oben in den Hals. Du glaubst nicht, dass die da oben auch nur einen Cent Steuer blechen. Glaubst du das etwa? Die doch nicht. Aber, und sie bückte sich und zeigte uns den Inhalt ihres Papierkorbs, in dem etliches Zusammengeknülltes lag, von mir kriegen sie auch keinen Cent. Nicht eine Centime, sagte sie noch, weil wir ja schließlich in Frankreich waren.

Es dauerte also nicht lange, bis Anouk Kaninchen und Schafe entdeckt hatte, die nicht per Streckfolter oder abgeschnittenen Hinterteilen ihre Wolle hergeben mussten, obwohl Raya ihr ehrlicherweise gleich sagte, dass sie trotzdem nicht im Paradies gelandet war und sich Schafe auch mit völlig unversehrten Hinterteilen nur äußerst ungern die Wolle abschneiden lassen, den

Kaninchen ist es eher egal. Anouk hatte, kaum war sie in Fontarèche, neben EZ noch eine zweite Großmutter und luxuriöserweise auch einen Großvater gratis mit dazu, und das entschädigte sie für die fehlende Verwandtschaft, die sie ihr früheres Leben lang gehabt hatte, weil Gregor nichts mehr mit uns zu tun haben wollte und unsere Namen nicht einmal mehr aussprach, und das Interessante daran ist: Wer schlecht gelaunt ist, hat immer recht, und wer einen anderen hasst, sowieso, also waren wir irgendwann von der Verwandtschaftsliste gestrichen, aber Anouk hatte immerhin EZ als Großmutter adoptiert und daher Witz und Liebe gelernt, wo sie Mathematik sowieso schon konnte, und sobald sie die Kaninchen bei Dédé und Raya gesehen hatte, gab es gleich noch ein Großelternpaar dazu, und dieses Großelternpaar nahm sie bereitwillig mit in Bernadettes Mercerie, und zwar nicht in den Laden, sondern nach hinten. Ich hatte ganz richtig gelegen: Dahinten wohnte Bernadette. Und dann hatte ich wieder ganz falsch gelegen mit meiner dämlichen Hochnäsigkeit, weil ich natürlich nur den Teil der Geschichte entziffern konnte, den ich gesehen hatte, aber im hinteren Teil des Hauses fand der andere Teil statt. Da waren, so Anouk nach ihrem Besuch dort, die absolut ultimativen Schätze gelagert: Ihr könnt euch das gar nicht vorstellen. Praktisch jeder von diesen alten Leutchen hat ein bisschen Land, und die Engländerin hat denen alles von Schafen und Ziegen und Wolle beigebracht. Und natürlich EZ, sagte sie voller Stolz, weil sie hier dazugehörte. Obwohl sie Mathematik und stricken konnte, vielleicht sogar gerade deswegen.

Raya war die Einzige unter all den Frauen, die Angorakaninchen hatte, seit das Krankenhaus, in dem sie gearbeitet hatte, die Entbindungsstation geschlossen und die meisten Mitarbeiter entlassen hatte, aus Sparsamkeit oder mangels Entbindungen. Wobei entlassen natürlich freigesetzt heißt wie überall. Raya war eine Doula, bevor sie Angorakaninchen hatte, und jetzt wissen Sie natürlich so wenig wie ich, was eine Doula ist, weil Doulas in Deutschland so gut wie unbekannt sind, obwohl es eigentlich etwas Nettes ist, wenn man jemanden hat, der sich während der Schwangerschaft und der Geburt und hinterher darum kümmert, dass es einem selbst und dem Kind gut geht, aber natürlich sind Doulas die Ersten, die rausgesetzt werden, wenn Entbindungskliniken geschlossen werden, danach kommen die diplomierten Hebammen an die Reihe, und Dédé hatte zwar seinen Hof, aber von so einem Hof und der Arbeit auf dem Hof kann man nicht mehr leben, schon gar nicht, wenn die Ölgesellschaft in den Cevennen scharf auf das Land ist und sich alles unter den Nagel reißt, was aufgegeben wird, weil es bekanntlich im Languedoc keine Arbeit gibt und auch Jeremiah trotz des schönen Swimmingpools, mit dem seine Eltern ihn und seine Schwester halten wollten, nicht in Fontarèche geblieben ist.

Raya war durch die Kaninchen so halbwegs aus der Krise rausgekommen, und den anderen Frauen ging es genauso, weil man halbwegs durchkommen kann, wenn man zur Rente und dem bisschen Gemüse und Obst noch ein paar Schafe oder Ziegen hat, jedenfalls wenn man die Wolle von Bella Luna gesponnen kriegt und sie dann für sich und die Enkel verstrickt und den Rest bei Bernadette lagern kann.

Du kannst dir nicht vorstellen, was da so rumliegt, sagte Anouk. Die ultimativen Schätze sind das, dagegen ist das gesamte Abschreibungsgarn bei Anneli nichts als Schrott.

Nur weiß jetzt keiner, was aus der Spinnerei werden soll. Und keiner weiß, wie das mit den Wildschweinen weitergeht.

In Jeremiahs Haus waren die Ratten offenbar schlau oder rattengiftresistent, und je mehr wir über Schiefergas und das Wasser nachdachten, das ein paar Tausend Meter tief in die Erde gepumpt werden muss, um an das Zeug zu gelangen, desto mehr imponierten uns diese Ratten. Die Mäuse dachten nicht daran, in die chinesischen Fallen zu tappen, sie klauten weiterhin Käse und Speck heraus, und Milan sagte, wenn's weiter nichts ist, als ein paar winzige Feldmäuse zu füttern.

Anouk strickte am Swimmingpool ein neues Lace-Tuch aus hauchdünner Angorawolle.

Alles von ihrem Lieblingshäschen.

Cannelle heißt Zimt, sagte sie.

Milan strickte an etwas anderem. Zunächst nur auf dem Papier, aber sobald das Netz wieder da war und wir Johnny beruhigt hatten, dass bei uns alles in Ordnung war, wenn man denn das gesamtentropische Geschehen im Languedoc und anderswo mal ausnähme, machte er Ernst, und ich strickte kaum, sondern beobachtete Milan, während er Ernst machte und sich innerhalb weniger Tage wieder in den Sexiest Man Alive verwandelte. Nicht in denselben, der er gewesen war, als ich ihn kennengelernt hatte, und der daran geglaubt hatte, dass Industriebauten genau das wären, was die Welt in den nächsten Jahren brauchen würde, mit der richtigen Arbeit und den richtigen Räumen für Arbeit könnte man wirklich was machen, sagte er, auch wenn im Augenblick noch alles in die falsche Richtung lief, aber mit vernünftigem Industriedesign wäre die Welt noch zu retten, die Welt und die Menschenwürde und das Gemeinwohl, und was er eben so sagte, als er jung war und nachts mit leuchtenden Augen seine Dada-Gebilde auf Straßenbahnen entwarf.

Schließlich hatte seine Tochter später auch Pullover für Pinguine gestrickt und sann gerade jetzt darüber nach, wie die Spinnerei da oben in den Cevennen zu retten wäre. Wie all die Schafe und Ziegen und Karnickel zu retten wären, deren Haare in dieser Spinnerei da oben in ultimative Schätze verwandelt worden waren.

Wie man an Bella Luna herankommen könnte, die offenbar untergetaucht war.

Untergetaucht, sagte Anouk.

Ich finde, untergetaucht klingt ein bisschen konspirativ und nach Widerstand, sagte ich.

Ach Leo, sagte Anouk und ließ mit einem sehr überlegenen Kopfschütteln ihre Strickarbeit sinken.

Ich war plötzlich hellhörig wegen dieses »Ach Leo«.

Wenn meine Kinder »Ach Leo« sagen, meinen sie, dass ich womöglich etwas von gestern bin, also ungefähr dasselbe, was ich über Bernadette gedacht hatte, als ich in ihrer Mercerie gestanden und nicht gewusst hatte, dass sich der entscheidende Teil der Geschichte für den Besucher und den Fiskus unsichtbar in den hinteren Räumen abspielt.

Und wenn ich sage, Anouk ist erst achtzehn, meine ich, dass man mit achtzehn vielleicht noch die ölverklebten Pinguine am Südpol und womöglich die ganze Welt retten möchte.

Ich sah zu Milan, der mit seinem Rechner im Schatten auf der Terrasse saß und allmählich leuchtende Augen bekam, weil er irgendeine Idee hatte, und ich war mir nicht sicher, ob er jetzt durchdrehte.

Nach einer Woche ohne Netz bist du draußen, hatte er gesagt, nachdem wir wieder Netz gehabt und unsere Post durchgesehen hatten.

Sven hatte sich mit seiner Hornbox jemand anderen als »Sound and Fury« gesucht und bei Facebook und noch ein paar anderen Verbraucher-Zufriedenheits-Seiten einen nach unten gesenkten Daumen bei »Sound and Fury« platziert, und Dennis hatte Milan ganz einfach gekündigt, nachdem er dreiundzwanzigmal angerufen und den Anrufbeantworter vollgefleht und -getobt hatte und bevor er auf den Jakobsweg nach Compostela pilgern gegangen war.

Kann er das so einfach, hatte ich gesagt, als Milan mir das Mail vorgelesen hatte.

Möglicherweise nicht, aber vielleicht doch, sagte Milan. Aber es fühlt sich trotzdem an wie eine echte Befreiung. Heinrich, der Wagen bricht, sagte er, und das sagt er immer, wenn er einen der Jobs los ist, die er macht, seit sein eigener Laden damals pleitegegangen ist, weil die öffentliche Hand natürlich kein Geld mehr für jemanden ausgibt, der an richtige Arbeit denkt und richtige Räume für diese Arbeit bauen möchte und kann, niemand gibt dafür mehr einen Heller und Pfennig oder PayPal-Dollar, und in den Jahren seit seiner Pleite hat Milan zähneknirschend alles Mögliche an Jobs angenommen, weil wir die Kinder ja im Gepäck hatten, aber von richtiger Arbeit und den richtigen Räumen dafür hat er weitergeträumt, die Räume hätte er gern gebaut, auch als er zugesehen hat, wie in Fernost die Räume und Menschen brannten. Brennende Industriebauten in Fernost sind ja gelegentlich in den Nachrichten, weil sie beinah so gut wie Unwetter sind, für das niemand was kann, aber mit Industriebau hatten

Milans Jobs nach seiner Pleite nie mehr zu tun, das ist nach Fernost ausgelagert worden, und die Jobs, die er annahm, bis hin zu Dennis und Sunset, waren regelmäßig solche Jobs, bei denen er hinterher, wenn er sie verlor, immer sagte, Heinrich, der Wagen bricht.

Für mich fühlte es sich an wie schwankender Boden unter den Füßen, wenn nicht ein Erdrutsch, weil zwar jetzt Sommer war, aber die Miete läuft auch im Sommer, und dann kommt der Herbst, und das Heizen fängt wieder an.

Mein »Einer für alle«-Pullover war immerhin einigermaßen verkauft worden, während wir kein Netz gehabt hatten. Ich hatte den Download zuerst nur auf Deutsch und Englisch angeboten, aber seit er auch in Russisch und Spanisch zu haben ist, scheint er in Länder mit anderen Heizperioden zu gelangen, in denen es dann Winter ist, wenn wir hier am Swimmingpool liegen, der in gewisser Weise ein nutzloser Swimmingpool ist, weil er Jeremiah und seine Schwester nicht zu Hause hat halten können, weil zu Hause keine Arbeit mehr zu haben war, und jetzt lagen wir anstelle von Jeremiah und seiner Schwester daran und hätten den Sommer genießen können, aber ich bekam trotzdem Angst.

Stricken ist gut gegen die Angst, dachte ich und sah Milan, der offenbar keine Angst, sondern eine Idee hatte, und meine Tochter, die in einer Spinnerei und ein paar Häschen einen Sinn zu sehen schien und mir sehr überlegen mit ihrem »Ach Leo« sagte, dass ich und meine Angst und meine Wörter sowieso einfach von gestern wären.

Man sagt nicht mehr konspirativ, sagte Anouk, nachdem ich gewartet hatte, was jetzt wohl kommen würde. Man sagt jetzt pervasiv.

So, sagte ich, sagt man das.

Schon mal was von Pervasive Computing gehört? Kannst du Johnny nach fragen. Der kann dir das erklären.

Ich weiß nicht, ob Sie jetzt genau wissen mögen, was Pervasive Computing ist. Johnny hat es mir erklärt, und natürlich habe ich es nicht so ganz genau verstanden, weil er es mir mit dieser IT-Sprache erklärt hat, in der er Vertices extrudiert und auf U- oder V-Value-Positionen herumpixelt, aber schließlich kam heraus, dass es Johnny interessieren würde, dieses Pervasive Computing mal nicht nur für seine Computerspiele einzusetzen, sondern auch bei einer Ölgesellschaft, die ihren Sitz natürlich nicht im Languedoc oder in Niedersachsen oder irgendwo dort hat, wo sie die Erde fünftausend Meter tief perforiert und die Löcher mit Gift vollpumpt, da will schließlich keiner mehr wohnen und das Wasser trinken, natürlich hat Pierre ganz recht.

Ich hatte irgendwann in diesem Sommer bei einem Glas Wein einmal einen kurzen Streit mit ihm deswegen, weil ich sagte, hör mal, Pierre, du gehst mir ein bisschen auf die Nerven mit deinem Schiefergas, selbst wenn die da oben bohren, aber schließlich habt ihr ein Moratorium, und in Deutschland ist es erst einmal nicht erlaubt, und wenn sie's doch erlauben, kommt zunächst mal das Gemeinwohl, der Wasserschutz, das ganze Umweltprogramm, was weiß ich, jedenfalls müssen sich Ölgesellschaften daran halten, und dann kann man ja immer noch sehen, aber Pierre lachte und sagte, was du so denkst.

Dann erklärte er mir das Freihandelsabkommen und den Investitionsschutz, von dem die Franzosen mehr in den Medien zu hören bekommen hatten als wir in Deutschland, und danach sagte er, siehst du, und dann ist es ganz einfach: In Brüssel stimmt das Parlament dafür, dass die Bohrungen auf die Liste kommen.

Was für eine Liste, sagte ich, und Pierre sagte irgendetwas mit Protection und Environment.

Umweltverträglichkeitsprüfungsliste, sagte Milan, und Pierre lachte wegen des Monsterwortes.

Na also, sagte ich.

Und ein paar Wochen darauf, sagte Pierre, treffen sich die Chefs in Brüssel oder sonst wo.

Was für Chefs, sagte ich, und Pierre sagte, na eure und unsere und die ganzen anderen Pantins.

Hampelmänner, übersetzte Milan.

Ich sagte, so so.

Und anschließend ist das Schiefergas plötzlich von der Liste gestrichen. Weg. Verschwunden. Steht nicht mehr drauf.

Ich dachte daran, dass es mir eigentlich egal ist, ob es konspirativ oder pervasiv heißt, aber das wollte ich eigentlich gar nicht erzählen, weil ich denke, dass Sie es vielleicht auch nicht unbedingt wissen wollen, weil Sie jetzt kurz vor dem Schluss dieses Buches sind und noch kein Wildschwein in dem Buch vorgekommen ist, dabei haben uns die Wildschweine natürlich beschäftigt, weil sie gesprächsweise immer da waren. Es wurden von den einzelnen Städten und Dörfern nächtliche Patrouillen eingesetzt, um die Orte und Campingplätze zu schützen, die Gegend lebt vom Tourismus, und tatsächlich blieben die Campingplätze verschont. Trotzdem wurde die Jagdsaison für Wildschweine um den gesamten Sommer verlängert, obwohl man eigentlich ab Mai keine Wildschweine mehr abschießen darf. Trotzdem wurden weiter Zäume zerschnitten, und nachdem ihre Grundstücke zum zweiten und dritten Mal in Schlachtfelder verwandelt worden waren, dachten manche Bewohner der Gegend daran aufzugeben, jedenfalls erzählte uns Pierre, dass sie daran dachten. Wir tranken manchmal mit Pierre in Uzès einen Kaffee, wenn er Mittagspause hatte.

Dédé und Raya erwischte es, zwei Wochen nachdem wir in Fontarèche angekommen waren. Uns in der Nacht darauf, das heißt, uns erwischte es natürlich nicht, weil wir in den Betten lagen und ich unter der luxuriösen Doppeldecke in unserem Schlafzimmer immer noch wunderbar schlafen konnte, obwohl mir der

Boden unter den Füßen am Wegrutschen war, und Anouk schlief in einem kleinen ehemaligen Kinderzimmer auf einer Ausziehcouch, als die Wildschweine kamen. Irgendwann wurde sie wach, weil Wildschweine ziemlichen Krach machen, wenn sie in der Erde graben, natürlich nicht entfernt solchen Krach, als würden sie Löcher bohren, die fünftausend Meter weit ins Erdinnere reichen sollen, aber Anouk wurde jedenfalls davon wach, weckte uns, und so haben wir alle drei mitgekriegt, wie es scheppert, wenn ein Wildschwein die Terrassentür zertrümmert.

Das war auch schon alles. Anschließend drehte es um und kam nicht ins Haus, was ein ziemliches Glück war, weil so ein Wildschwein Angst kriegt, wenn es was zertrümmert und plötzlich im Inneren eines Hauses steht, und mit Angst sind Wildschweine unberechenbar und gefährlich.

Dédés alten Labrador zum Beispiel hatte es erwischt. Natürlich war er auch zu alt gewesen, um den Hof oder auch nur den Kaninchenstall gegen eine Horde Wildschweine zu beschützen, aber er hatte es versucht.

Tapferer Hund, hatte Dédé gesagt und dann eine große Handbewegung über seine Tomaten, Paprika und Auberginen gemacht. Die waren hin.

Die Schafe und Ziegen waren natürlich auf und davon, und erst als Jeremiah angekommen war, haben wir die Ziegen wiedergefunden, und Jeremiah sagte, was für ein Leben, entweder du fängst deine eigenen Viecher ein, oder du hilfst irgendwelchen Leuten, ihre wiederzufinden.

Milan hatte Jeremiah gleich am selben Morgen angerufen, nachdem in der Nacht sein Grundstück dran gewesen war. Er war zum Glück nicht mehr in Harvestehude, sondern hatte für ein paar Tage einen Job in Paris, Ausstellung im Haus der Puppe, die Sache war Kleinkram und bald erledigt.

Wir holten Jeremiah vom Bahnhof in Nîmes ab, und von da an saßen die beiden Männer zusammen vor ihren Laptops. Techniker unter sich.

Während sie an ihrer Ultraschallbox tüftelten, machte Anouk etwas, das sie schon die ganze Zeit gemacht hatte, nur hatten wir es nicht so verfolgt, weil sie ja hier bei uns war. Ich glaube nicht, dass Eltern in die Intimsphäre ihrer Kinder einbrechen, wenn sie lesen, was die so auf Facebook treiben, aber Anouk war ja da, saß die meiste Zeit dick eingecremt am Pool und strickte, wenn sie nicht Raya half, die Angorahasen zu versorgen, die das Massaker überlebt hatten. Cannelle hatte es nicht überlebt, und ich war froh, dass Anouk nicht Mitglied bei PETA war, wo es zum Marketing gehört, Massakerfilme einzustellen. Massakerfilme funktionieren im Grunde nicht anders als Unwetterkatastrophen, aber jedenfalls hatte Anouk die toten Karnickel wenigstens nicht per Handy gefilmt, nicht mal fotografiert. Immerhin.

Nur hatte sie ihren 584 Facebook-Freunden natürlich davon berichtet. Von dem Massaker sowieso und vorher schon von durchgeschnittenen Zäunen und der Ölgesellschaft und möglichen Zusammenhängen zwischen den Zäunen und der Ölgesellschaft und allen Spekulationen, die es eben gab und die mit Sicherheit auch bei Bernadette in den hinteren Räumen ein Thema waren, weil man sich dort Gedanken um die Spinnerei machte, während in kürzester Zeit Bella Luna in die südfranzösische Mythologie Einzug hielt. Vorher war sie mit großer Wahrscheinlichkeit die graue Eminenz des Textilgeschehens gewesen, das natürlich auch ohne Nachhelfen der Ölgesellschaft sterben würde, weil sämtliche junge Leute die Gegend längst verlassen hatten: Wo keine Arbeit, da auch keine jungen Menschen. Landschaften vergreisen und werden dann eben langsamer aufgekauft, wenn kein Unwetter oder keine Ölgesellschaft nachhilft und den Vorgang beschleunigt, aber bevor diese Landschaft hier sterben würde, schöpfte sie rasch noch einen Mythos: Bella Luna und ihre magische Spinnerei.

Und genau darüber hatte Anouk ihren 584 Freunden in aller Welt eben auch berichtet. Von der großen verschwundenen Künstlerin in der Tradition von EZ, und ich hatte Ihnen ja erzählt, dass EZ für die Strickszene eine Ikone ist, auf manchen Blogs ist sie gar eine »Godmother«, und Bella Luna nun hatte nicht nur EZ ins Languedoc gebracht, sondern konnte auch noch spinnen, sodass also Anouk der Welt per Facebook Kunde tat von der sagenhaften Qualität der Garne, die als ultimativer Schatz bei Bernadette gelagert waren.

Und wir hatten davon nichts mitbekommen, weil Milan und Jeremiah an ihren Ultraschallboxen saßen, die kurz darauf in der ganzen Gegend zum Einsatz kamen und uns zwar nicht reich machten, aber Milan zum Sexiest Man Alive, jedenfalls unter den Rentnern und Bauern im Languedoc. Für mich war er das schon ein paar Jahrzehnte früher gewesen. Ich hatte es auch nicht wirklich vergessen, sondern es hat mit dem unmöglichen Time-Turner und der Entropie zu tun: Die Zeit und die Welt sind in diesen Jahrzehnten ganz unaufhaltsam in die falsche Richtung gegangen, und ich weiß ein paar Sachen sicher, die nicht sehr sexy sind, aber leider ein physikalisches Gesetz. Dass jede Party im Chaos endet, nicht nur bei Thomas Pynchon. Dass wir alle langfristig tot sind. Dass die Welt unaufhaltsam in die Trägheit und Apathie steuert.

Und wenn man das weiß, muss man ein bisschen aufpassen, dass man nicht selbst in die Trägheit steuert, aber gerade jetzt steuerte die Welt nicht in Trägheit und Apathie, weil 584 ihrer Bewohner erfahren hatten, dass bei Bernadette im Hinterzimmer der ultimative Schatz liegt. Das ist prozentual eine sehr kleine Zahl, aber sie wurde in diesem Sommer auf einmal doch recht groß, weil mindestens zwei Drittel dieser 584 Erdbewohner in der Strickszene unterwegs waren, in der unsere Tochter ein ziemlicher Champion ist. Und wenn Anouk sagt, das Garn von Bella Luna ist vermutlich so gut wie Qiviut, dann müssen Sie gar nicht wissen, was Qiviut ist: Dann können Sie mir blind glauben, dass die Strickcommunity global aus dem Häuschen gerät und ein allgemeines Lauffeuer durchs Netz geht, in dessen Verlauf sich alle möglichen kleineren und größeren Häuser bis hin zu japanischen und kanadischen Markenfirmen überlegen, ob sie sich auf den Weg machen oder wenigstens ihre Scouts schicken sollen.

Anouk hatte eine ziemliche Party losgetreten, ohne dass wir es überhaupt merkten und vor allem ohne dass Bernadette oder irgendjemand aus Bernadettes Hinterzimmern etwas davon merkte, weil Menschen über siebzig im Languedoc sich nicht gewohnheitsmäßig auf Facebook herumtreiben, sondern ihre Computer wesentlich anschaffen, um mit den aus der sterbenden Landschaft ausgewanderten Kindern und Enkeln skypen zu können.

Deshalb also wurde es eine ziemliche Party, als große Teile der Strick-und-Ravelry-Szene zur Sommerzeit in Uzès ankamen, und natürlich endete auch diese Party im Chaos, weil wie immer der eine Teil der Party nur gekommen war, um Geschäfte zu machen, der andere hatte Lust auf Knit-ins und Sockupy und zündete die Yarn-Bombs, die Romney Freeman entworfen und unsere Tochter weiterverbreitet hat. Der Sockupy-Teil vertrieb in diesem Sommer im Languedoc natürlich keinen Ölkonzern, so geht das nämlich nicht, aber die Wildschweine immerhin wurden vertrieben, weil Jeremiah und Milan tatsächlich eine großartige Ultraschallbox bauten, die sich alsbald etwa so verbreitete wie die Yarn-Bomb von Romney Freeman.

Romney Freeman ist übrigens wirklich ein sehr hübscher Junge, das hat auch Milan gesehen.

Romney Freeman arbeitet für die North Pole Yarn Company in Anchorage, Alaska. Das ist ein sehr kleines Unternehmen. Unauffällig, ein bisschen schräg, notorisch schlecht bei Kasse, deshalb haben sie in Anchorage auch überlegt, ob sie überhaupt die Kohle für den Flug zusammenkriegen, aber dann war es doch das Qiviut, von dem Anouk gesprochen hatte, was sie auf Bella Lunas Garnkünste neugierig gemacht hatte. Die North Pole Yarn Company verkauft nämlich Qiviut. Qiviut ist die Wolle von Moschusochsen und etwa so legendär wie EZ und allmählich auch Bella Luna. Nur sehr wenige Unternehmen dürfen Qiviut verkaufen. Das liegt an den Eskimos, vielmehr an den Inuit. Die stellen seit Ewigkeiten Qiviut her, das bei PETA noch nicht erwähnt worden ist, und Romney Freeman also kennt diese Inuit und hat uns von ihnen und ihren Moschusochsen erzählt, die auch nicht bei PETA erwähnt werden müssen, weil sie offenbar nicht geschunden werden.

Eigentlich hat Romney uns eher wenig erzählt, sondern er hat das alles Anouk erzählt, sobald er die Lage hier einigermaßen verstanden hatte. Anouk erzählte uns unablässig von Alaska, den Inuit und dem Nordpol. Sie hatte Romney Freeman ihrerseits von der Ölpest am Südpol erzählt und den verklebten Pinguinen, die sie gerettet hatte, und dann erzählte Romney Freeman Anouk wiederum alles über Alaska, das von den Bohrungen längst komplett durchlöchert sein muss, und selbst Milan sah ein, dass es eine natürliche Verbindung zwischen dem Languedoc und Alaska geben müsse, in Sachen Garn und in Sachen Öl und der Vertreibung der Ölkonzerne aus dem Gebiet der Moschusochsen, Pinguine und der Angorahasen.

Er ist zwar nicht der Sexiest Man Alive, sagte Milan, und ich sagte, Eitelkeit ist was Großartiges.

Aber er ist hübsch, beschloss er. Und schließlich ist Anouk schon achtzehn.

Aber es waren wundervolle Ferien für Milan und mich: Die Party tobte dem Chaos entgegen, die Erde unter unseren Füßen bewegte sich, Johnny teilte uns mit, dass Debbie schwanger sei und sie sicher keinen Tag länger in Manchester lebten als unbedingt nötig, aber das wisst ihr ja selbst, ich bin hier nur in der Warteschleife.

Anouk lud ihren Bruder großzügig ein, bei uns Ferien zu machen. Johnny nahm großzügig an, und als sie kamen, lernten Debbie und er, was eine Doula ist, und Milan lernte von seinem Sohn, was Pervasive Computing ist, und als wir am Ende des Sommers wieder nach Frankfurt fuhren, waren die Kinder noch immer in Jeremiahs Haus, und wenn das Netz nicht wieder zusammenbricht, hat Johnny nichts dagegen, noch eine Weile dort zu bleiben, Environment-Artist kann man ja nicht nur in Manchester sein. China oder Korea scheiden wegen des Babys inzwischen weitgehend aus.

Und was habt eigentlich ihr noch in Frankfurt verloren, fragte er letztens.

Das frage ich mich auch, sagte Milan, der ihn am Telefon hatte.

Irgendwann stellte Dédé fest, dass einem schlecht wurde, wenn man sich in der Nähe der Ultraschallboxen aufhielt, die inzwischen überall auf den Feldern und an den Zäunen aufgestellt waren und zuverlässig die Wildschweine von den Grundstücken fernhielten. Die Ratten übrigens auch, stellten wir fest. Sound and Fury.

Erstaunliche Boxen, gewissermaßen das Gegenteil einer Hornbox: winzig klein, man kann sie fast in die Handtasche stecken, und man hört nichts. Wirklich gar nichts. Ultraschall eben.

Ich hab gar nicht gewusst, wie mir ist, sagte Dédé und lächelte sein strahlendstes Lächeln, aber ich wollt's mal ausprobieren, und kaum ist man in der Nähe dieser Dinger, kriegt man das große Kotzen.

Milan lächelte auch mit leuchtenden Augen und sagte, was du nicht sagst.

Romney Freeman zog ziemlich bald zu uns in Jeremiahs Haus, und nach und nach noch ein paar andere Partygäste von der Knit-in- und Yarn-Bomb-Fraktion. Sie fuhren ins Ölgelände hoch und schauten sich Bella Lunas Spinnerei an, in der sie weitere ultimative Schätze vermuteten, aber so gehen eben Geschichten, wenn man nichts Genaues weiß. Dann kann man nur vermuten.

Es war dann Romney Freeman, der seine Erfahrungen mit den Inuit fruchtbar machen konnte.

Die Inuit sind schließlich auch ein Mythos. Ein größerer als Bella Luna, wenn man es mal im allgemeinen Ranking sieht, weil es am Nordpol um alle Inuit und ihr Aussterben geht und nicht ums Häuschenabfackeln in den Cevennen.

Aber Romney Freeman hat Kontakte zu Leuten und Leben, die wissen, dass sie langfristig tot sind, und die ganz und gar untergehen werden, mitsamt allem, was noch an sie erinnert, und dann bleiben nur noch Arte und Phoenix mit ihren Folkloreberichten übrig. Mit solchen Leuten und Leben kennt Romney Freeman sich aus, es gab Kontakte zu den Inuit, Kontakte zu Bella Luna womöglich auch, das ist ein Teil der Geschichte, den er uns später einmal erzählen wird, wenn wir uns besser kennen. Ich bin sicher, er erzählt es uns, oder Anouk, denn am Ende des Sommers hatten Anouk und Romney Freeman die Facebook-Party irgendwie gemeinsam und zu zweit hinter sich gebracht, und alles war vorbei.

Wie das so ist, bauten die Yarn-Bomber etwas schneller ab als die andere Seite, das ist ein ehernes Gesetz, weil Leute, die wegen der Geschäfte kommen, auf jeder Party die zäheren sind; aber schließlich waren auch die wieder abgerauscht, manche von ihnen sogar ziemlich sauer, weil sie so lange durchgehalten hatten und am Ende weder eine Trüffel noch Garn, noch Verträge oder Patente bekommen hatten, die sie dann nicht mehr losgelassen hätten, dabei waren sie so sicher gewesen, bei Bernadette dicke Beute machen zu können, weil Bernadette in ihrem gestrigen Laden mit ihrer gestrigen Acrylwolle ganz sicher kein ernst zu nehmender Gegner war. Das müsste sich doch mit ein paar PayPal-Dollars machen lassen, dachten sie wohl, und dann hätten sie die Alte am Haken.

Aber Bernadette gehörte zu einer aussterbenden Art.

Ich bin für eure Welt einfach nicht gemacht, sagte sie.

Es war ein sehr schöner Sommer, weil niemand mit seiner schlechten Laune das Haus füllte wie Gregor und Maja bei unserer ersten Frankreichreise.

Milan und ich hatten manchmal gar keinen Überblick darüber, wer oder was das Haus füllte, weil wir sehr oft à la belle étoile schliefen, mitten in diesen lithosphärischen Vorgängen um uns herum, unter den Sternen; ausgestreckt auf dem Boden, der gefährlich unter uns schwankte und seither nicht aufgehört hat zu schwanken, und Sie brauchen das Qiviut-Garn nicht zu googeln.

Schließlich habe ich Ihnen die ganze Geschichte ja nicht wegen des Qiviut erzählt.

»Birgit Vanderbekes Buch liest sich wie Post aus dem Paradies.«

Focus

Birgit Vanderbeke

Ich sehe was, was du nicht siehst

Piper Taschenbuch, 128 Seiten
€ 8,99 [D], € 9,30 [A]*
ISBN 978-3-492-30449-8

Eine junge Frau denkt darüber nach wegzugehen. Mit ihrem Sohn, einem grünen Nilpferd und einem kleinen Hund verlässt sie Deutschland und fährt von Berlin nach Frankreich. Das Land, in das sie kommt, begrüßt sie mit torkeligen Sternen und silbrigen Baumreihen im Abendlicht. Vieles findet sie hier. Kleines und Großes.

Birgit Vanderbeke erzählt von Abschied und Willkommen, von der Alltäglichkeit der Angst und einem neuen Leben …

PIPER

Leseproben, E-Books und mehr unter **www.piper.de**

»Ein Meister der skurrilen Sprachbilder und alltagsphilosophischen Exkurse.«

Der Spiegel

Heinrich Steinfest

Der Allesforscher

Roman

Piper Taschenbuch, 400 Seiten
€ 9,99 [D], € 10,30 [A]*
ISBN 978-3-492-30632-4

Er heißt Sixten Braun, und er erlebt eine Verwandlung: vom Manager zum Bademeister, vom Zyniker zum Romantiker, von der Höhenangst zur Bergbesteigung. Dazu braucht es allerdings zwei beinahe tödliche Unfälle, eine große Liebe, eine lieblose Ehe sowie eine raffinierte Frau mit Nasenpiercing. Aber all das musste wohl sein, damit er werden konnte, was er werden sollte: ein Vater ...

PIPER

Leseproben, E-Books und mehr unter **www.piper.de**